Grigori Grabovoi

SEQUENZE NUMERICHE PER IL SUCCESSO NEGLI AFFARI

Il lavoro "SEQUENZE NUMERICHE PER GLI AFFARI"
è stato creato e integrato da Grigori Grabovoi nel 2004

2016

Prima edizione italiana maggio 2016

Edizione 2016 – 1, 07.05.2016
ISBN 978-88-89517-13-0

Pubblicato da Edizioni L'Arcipelago, Italia 2016

Per ulteriori informazioni sui contenuti di questo libro si prega di contattare Edizioni L'Arcipelago – Italia

www.edizionilarcipelago.it

Redazione Maria Grazia Arecco
Traduzione – Luciana Romanazzo e Maria Giovanna Arioli

ISBN 978-88-89517-13-0 Traduzione italiana

CONTENUTO

NUMERI PER IL SUCCESSO NEL BUSINESS

INTRODUZIONE

Le frequenze numeriche in questa pubblicazione, sono molto utili da applicare in accordo con termini, definizioni e nozioni in affari, a cui potrete dare un fruttuoso rilievo sulle basi delle tecnologie per l'eterno sviluppo armonioso.

Per economia – si considera qualsiasi cosa indispensabile alla sopravvivenza della società umana. Lo scopo principale dell'economia dell'eterno sviluppo è di riprodurre attraverso mezzi naturali, le risorse non riparabili richieste per uno sviluppo eterno. Questa economia ritiene vitale la necessità di trovare metodi naturali, sociali e tecnologici per la produzione di beni riparabili. L'essere umano è alla base della realizzazione di una tale economia. Se le idee e le attività pratiche delle persone sono focalizzate sullo sviluppo eterno, queste creano strutture economiche nella società rivolte verso un tale sviluppo.

La richiesta del conglomerato umano è molto alta, la sua crescita costante sta diventando sempre più problematica. Per lo sviluppo eterno è importante espandere i propri metodi creativi per soddisfare la domanda. In questa ottica diviene un fatto indiscutibile considerare l'illimitata crescita delle necessità umane.

Queste sequenze numeriche risolvono il problema di rendere più efficiente l'uso delle limitate, rare fonti di attività commerciali e il controllo del processo per tale raggiungimento, allo scopo di soddisfare l'illimitata crescita delle necessità umane e sociali dello sviluppo eterno.

I numeri in questo libro per affari fruttuosi, possono essere usati nel modo seguente:

Prima di ogni operazione in uno dei campi di relazioni finanziarie per oggetti di prima necessità, anche se non sono direttamente collegati all'affare, si può ripetere sottovoce la seguente sequenza numerica, per la realizzazione del suo eterno sviluppo attraverso la sfera economica:

– 289 471 314917 –

Gli spazi nelle sequenze collegate all'economia dell'eterno sviluppo, possono essere compresi come settori necessari per il rifornimento di soldi, per una vita eterna e per altri mezzi. Il controllo informativo di uno spazio, riguarda uno schema più sommario, questo vuol dire che gli spazi interni vuoti nell'economia, possono sempre essere riempiti con dati di sviluppo eterno.

Per avere successo negli affari è consigliabile leggere il libro per intero, pronunciando le sequenze numeriche sottovoce. In alcuni casi, la comprensione espressa nell'eco proveniente dalla pronuncia delle sequenze, può attivare nella vostra consapevolezza delle facoltà percettive. L'eco nella coscienza collettiva, viene attribuito a conseguenze che accadono nel tempo presente, mentre il suono è percepito come un elemento di eventi futuri.

Con l'uso di questo libro si può cercare di costruire un controllo preventivo sugli eventi nella sfera economica, attraverso le sequenze numeriche appropriate ai termini e alle nozioni. Per questo, prima di iniziare a pronunciare sottovoce le frequenze, si possono ripetere i numeri:

– 889491 –

poi proseguire con le sequenze numeriche. Se incontrate resistenza al momento di pronunciare i numeri, ripetendo:

– 91688 –

potete attivare il controllo che vi indirizzerà verso l'eterno sviluppo.

Se, mentre pronunciate una sequenza che corrisponde ad una particolare nozione, percepite il colore azzurro, allora potrete correggere la situazione in tempo reale. Mentre invece, se percepite ombre di colori scuri, attendete tempi migliori per influenzare gli eventi.

Col tempo imparerete a percepire tutte le informazioni che causano situazioni estenuanti,e, per quanto possibile, imparerete a correggerle in anticipo. La cosa più importante nelle tecniche di eterno sviluppo, è imparare a proteggere il campo necessario alla vita eterna. Per questo è essenziale ottenere uno standard di successo.

Nella visualizzazione dei numeri, si possono usare figure geometriche come immagini mentali di eventi reali, per incrementare il successo negli affari.

Per esempio potreste immaginare in termini simbolici: la ditta, i libri contabili, gli strumenti concreti a cui siete interessati. Poi mentalmente spostate tali soggetti in spazi controllati (figure geometriche) per ottenere i risultati desiderati. Inoltre potete inondare tali soggetti di raggi luminosi, o mentalmente posizionare l'oggetto più in alto, se avete bisogno di ottenere ulteriori informazioni su di esso.

Dopo un po' di esercizio, sarà sufficiente immaginare lo spazio dei vostri pensieri con all'interno il soggetto desiderato, per acquisirne il controllo. Migliorando questa tecnica di pensiero migliorerete anche la vostra comprensione di questa, che vi sarà utile per ringiovanire nella vita eterna, aumenterete l'efficienza del vostro modo di pensare e la potrete applicare ad azioni spirituali. Il pensiero ispirato può realizzare la pratica dello sviluppo eterno più efficacemente.

Poiché un'idea può essere percepita attraverso le parole, una parola proveniente da tale idea appartiene allo stesso livello di eternità dello spirito perché è autocreata. Quindi quando ripetete una parola sottovoce, voi potete trasferire l'eternità negli eventi che concernono la parola o la frase composta da queste parole.

Voi potete applicare tali parole ispirate per realizzare la vostra vita eterna e per qualsiasi altra cosa, prima di ogni azione, sia nel campo dell'autonomia che in altri campi.

L'accettazione della vita eterna accade molto più velocemente per tutti quando indirizzate verso voi stessi azioni prodotte da parole ispirate.

Quando attivate operazioni di controllo con l'ausilio dei numeri, dal campo della consapevolezza che produce parole ispirate. voi materialmente incrementate i risultati degli affari nel campo dell'eterno sviluppo.

In quei casi in cui le vostre azioni riguardano qualsiasi termine o nozione della sfera economica, descritta in questo libro, potete cominciare a ripetervi sottovoce, prima dell'azione, le frequenze numeriche collegate a tali termini e nozioni.

Per esercitarvi a capirle potete considerare qualsiasi questione economica. Dovete semplicemente considerare i numeri come elementi di beni e servizi. Per esempio, se presentate un nuovo modello di veicolo, a cui avete assegnato una sequenza numerica a livello del pensiero, è possibile che impariate a percepire i malfunzionamenti della macchina, o prospettive per concludere l'affare a livello spirituale.

Questo può attivarsi in ogni campo allo stesso modo. Le sequenze numeriche, in questo metodo, corrispondono a termini, nozioni, eventi e campi d'economia che controllano essenzialmente precise masse di numeri rivolte all'eterno sviluppo.

Facendo uso di questo metodo, imparerete infine a stimare il valore di massa di questi numeri, perché vi avranno abituati a valutare immediatamente ogni soggetto che vi circonda. Avrete sviluppato il modo interiore di pensare a cui è legato il successo negli affari; e questo metodo è stato studiato proprio per questo. Infatti questo metodo intuitivo funziona in base a numeri particolari collegati a leggi logiche di eventi causa-effetto.

Prendendo in considerazione il fatto, che la perspicacia negli affari sembra essenzialmente governata da una forma di eventi casuali del futuro, così il metodo si trasforma in un metodo di controllo di eventi casuali attraverso la logica.

Questo è molto importante, poiché gli assegnati compiti logici della vita eterna, devono avere la natura di un mandato integro, nella quantità continua di eventi casuali del futuro.

Potete percepire i numeri e inviarli all'esterno, attraverso la luce bianca della vostra consapevolezza, direttamente nei campi di progetti lavorativi da realizzare. Le azioni del Creatore consistono nell'accettare gli altri colori che caratterizzano la luce della vostra coscienza. Potrete capire il profondo significato dei progetti d'affari, prendendo in considerazione la metodologia dello sviluppo eterno, all'interno delle connessioni collegate con il sistema in tutto il mondo.

La sua comprensione accelererà la realizzazione del vostro piano d'affari.

I numeri citati nel libro, in certi casi sono descritti con la metodologia del loro uso. Se i numeri sono posizionati dopo una frase, termine o nozione, senza descrizione, allora in qualsiasi modo vengono usati è corretto. In questo caso l'uso dei numeri ha il significato che l'intenzione o l'evento che è stato descritto nella frase, termine o nozione senza descrizione, attraverso la sequenza numerica, viene introdotto nell'area standard dell'eterno sviluppo, nel caso di deviazione dallo standard.

Esso è indirizzato al raggiungimento del successo finanziario dell'eterno sviluppo in tutti i casi.

In questo modo si può affiancare ai numeri l'intento per ottenere lo sviluppo eterno.

Per lavoro si intende l'uso che una persona fa della propria energia fisica, intellettuale e spirituale a vantaggio della creatività. Il lavoro è determinato dalla forza e dall'esecuzione. La sequenza numerica per recuperare tale energia:

– 8918 014 915 6481 –

L'intensità del lavoro è la tensione stimata nell'estensione della forza lavoratrice per unità di tempo. La sequenza per aumentare l'intensità di lavoro con il recupero simultaneo della salute del lavoratore sufficiente per la sua vita eterna è la seguente:

– 814 3198904671891481 –

L'aumento dell'intensità lavorativa che contiene una realizzazione di vita eterna in cui, a parte la salute normale, include anche l'assenza di eventi che possano danneggiare la vita, è determinato dai numeri:

– 419 318 88941898 –

L'importante è tenere presente che queste sequenze si riferiscono sia al lavoro produttivo che a qualsiasi attività umana in generale. All'inizio di qualsiasi attività potete, allo scopo della vita eterna, ripetere sottovoce l'ultima sequenza o le prime tre cifre della serie:

– 419 –

tenendo a mente, a livello di consapevolezza, che seguono altri numeri, il cui sforzo di ricordare sarà per il vostro eterno sviluppo. A livello spirituale di controllo, l'uso di queste sequenze informative è fatto in modo che tutti i numeri in generale, e qualsiasi combinazione numerica – sia diretta all'eterno sviluppo.

Da questa condizione spirituale, si passa mentalmente in un'area di percezione che contiene la conoscenza di come – da un soggetto di realtà fisica e spirituale sull'analogia dell'uso dei numeri per lo sviluppo eterno – si possono separare aree d'esperienza e azione per il proprio sviluppo eterno. Quando si usano queste aree si comprende che la vita eterna è un'attività creata con l'attività dell'uomo che prende in considerazione l'informazione del mondo che lo circonda. Per la vita eterna di un'altra persona, si possono aggiungere i numeri:

– 2890618 – alla sequenza di sette numeri, in pratica ripetere sottovoce:

– 419 318 88941898 2890618 –

Il rendimento della produttività lavorativa è misurato nella quantità di beni prodotti in unità di tempo. Il procacciare la produttività lavorativa necessaria per la vita eterna è determinata dai seguenti numeri:

– 319 814 –

La terra è indice di risorse naturali. La sua protezione e il recupero, l'incremento di risorse naturali nel processo di uno sviluppo eterno, può essere raggiunto mediante l'educazione e l'elaborazione di tale condizione spirituale, il cui controllo, viene dal riconoscimento della presenza fisica della terra insieme al suo averne cura. I numeri per questo:

– 914712 819 19 84 –

A questo punto si deve riconoscere che ciò che si intende è la protezione della terra da pericoli che provengono dallo spazio profondo. La condizione spirituale ha una diretta azione di controllo e sul raggiungimento dell'eternità per la terra in simultaneità con l'eternità dell'uomo.

Essa spinge le persone a intraprendere e completare compiti diretti allo sviluppo eterno in tutti i campi delle loro attività fisiche e spirituali.

Il riferimento generale di eternità all'esistenza sia naturale che prodotta artificialmente in soggetti alieni, arriva – *attraverso l'uso che le persone fanno consapevolmente per lo scopo della vita eterna e dello sviluppo eterno.*– ed è anche questo un giusto livello di evoluzione spirituale.

Il capitale serve ai popoli per produrre prodotti e soldi che vengono consumati per creare beni e servizi. La sequenza qui di seguito viene applicata per lo sviluppo e l'incremento di capitale allo scopo di una realizzazione di vita eterna:

– 819048 714 391 –

Può essere usata nel fare un lavoro analitico, prima di trattative e eventi collegati al capitale.

L'imprenditorialità è un'attività diretta ad ottenere un'entrata, un reddito. Il ricevimento di un'entrata è accompagnato dalla distribuzione delle sue parti per realizzare modi e metodi per la vita eterna. Il lavoro imprenditoriale si manifesta come organizzazione produttiva secondo gli obiettivi desiderati. La sequenza per un successo imprenditoriale verso uno sviluppo eterno è:

– 917 498 814316 –

La tecnologia presenta metodi pressanti sulle risorse nel processo di produzione. Nuove tecnologie create da nuovi imprenditori allargano l'abilità dell'uso delle proprietà delle risorse, permettendo lo sviluppo di tecnologie studiate per avere poco scarto, quindi un ambiente più sicuro. Le tecnologie di sviluppo eterno includono tutti i mezzi e le risorse per l'ottenimento della vita eterna. Per un controllo e la creazione di tecnologie rivolte allo sviluppo eterno si possono usare i numeri:

– 9187114 319 19 –

L'energia è una forza motrice che trasforma risorse naturali allo scopo di creare benefici.

L'energia necessaria alla vita eterna proviene dal campo dell'armonia, è diretta verso l'eterno sviluppo ed è ottenuta attraverso l'interazione di persone e ambiente. Il metodo per ricevere abbondante energia per l'eterno sviluppo di tutti, è dato dai numeri : **– 918 09814 –**

Questa sequenza numerica può essere ripetuta sottovoce un paio di volte al giorno e può avere anche un effetto di ringiovanimento attraverso il suo uso.

Il fattore informativo è ricerca, collezione, metodologia, custodia e diffusione di novità utili e necessarie all'attività produttiva delle persone. Attività, metodi efficaci per l'eterno sviluppo in un sistema di sviluppo eterno.

Un ruolo di questo genere fa crescere velocemente le circostanze moderne, e ha un effetto su tutto il mercato dell'economia, dando predeterminazione alla scelta di clienti e produttori a livello microeconomico.

Per attivare questo fattore informativo di eterno sviluppo usare i numeri:

– 964 819 3189891 –

A questa sequenza numerica può essere messo davanti il numero:

– 914 –

per avere un processo di resurrezione di una attività commerciale. La resurrezione di persone per affari di successo è di grande importanza perché non permette la perdita di personale qualificato e di dipendenti specializzati. Quindi l'approccio a questioni di resurrezione in ambito commerciale deve essere pragmatico e professionale in base ad un'entrata di reddito. L'adempimento di questi compiti "resuscitati" nella tecnologia commerciale può essere completato da uno specifico orientamento di fattore informativo.

L'ecologia è un'interazione fra esseri umani e ambiente. Qualsiasi attività produttiva dell'uomo è connessa per influenzare direttamente o collateralmente l'ambiente. L'ecologia può essere la soluzione ad un problema di eterno sviluppo. I numeri per un'ecologia diretta allo sviluppo eterno sono:

– 31914 51678109849 –

Per il risultato di una interazione di fattori produttivi allo scopo di creare ricchezza, focalizzare sulla sequenza:

– 913 518 906318 –

Queste sequenze numeriche funzionano, e sono giuste nei termini, se vengono usate allo scopo dell'eterno sviluppo, attraverso l'uso e le nozioni descritte in questi termini.

A

ACCISE – 518716319419819 – tipologia di imposte indirette che sono una parte integrante del prezzo finale che gli sono imputate completamente. Sono fissate per beni di consumo in generale.

ACCORDO COLLETTIVO – 564812219718 – mutuo accordo che è concluso tra gruppi di lavoro e rappresentanti dell'amministrazione di un'impresa su reciproche responsabilità e condizioni di riconciliazione, di dispute nel corso della produzione e di attività lavorative.

ACQUISTI LOGISTICI – 69871231941 – sotto sistema di produzione che esprime una necessità produttiva soddisfacente per materiali grezzi e altri materiali. Fornisce una stima economica di flusso materiale associato ad una minimizzazione di spesa per il loro acquisto, trasporto e stoccaggio.

ADDEBITO (DARE) – 318782614 417 – parte sinistra dello stato patrimoniale. Presenza del valore dei beni e materiali, mezzi contanti e l'incremento di questi nel dare conti positivi. Fonti di mezzi finanziari e la loro diminuzione che sono accreditati nei conti passivo di debito.

AFFARI (Business) – 194198514716 – attività economica compiuta attraverso l'utilizzo di capitali propri o di terzi, a proprio rischio e sotto la propria responsabilità, al fine di conseguire ricavi, profitti.

AFFARI (Business) – 71974131981 – attività indipendente di individui o personalità giuridiche, volta alla generazione di reddito, il massimo profitto per la vendita di beni, lavori e servizi.

AFFITTARE – 498 317818471 – breve locazione di macchinario o equipaggiamento senza acquisire il diritto successivo di acquisto.

AFFITTO – 31848561 – attribuzione par uso temporaneo di una proprietà a prezzo stabilito.

AFFITTO – 54931481971 – profitto derivante dall'uso di capitale senza la relativa partecipazione nell'attività aziendale, o reddito ricevuto dal proprietario da proprietà usate per scopi di noleggio/affitto.

AFFITTO – 71931851481 – tariffa pagata dal locatario per diritti legali di proprietà usata in affitto.

AFFITTO DA POTENZIALI RISORSE NATURALI – 428516317418 – è la più efficace forma di tassazione.

AFFITTO LOCATARIO – 371491 – fittavolo che per specifica somma, usa per periodo temporaneo la proprietà presa in affitto dal proprietario.

AFFITTO, REDDITIERE – 48131781984 – persona che vive del rendimento di titoli, o su interessi derivati da capitali che sono stati concessi come prestiti.

AGGIORNAMENTO DELL'ATTREZZATURA – 548164918 – migliorie, aggiornamenti di attrezzature, macchine, processi, per aumentare la produttività e le prestazioni economiche.

AMMORTAMENTO – 498312514 – perdita di valore dei beni di consumo come risultato dell'utilizzo meccanico o per l'influenza di cause naturali.

AMMORTAMENTO – 519318491417 – un graduale trasferimento di valore delle immobilizzazioni sul prodotto o sul servizio, al fine di accumulare denaro per il loro futuro completo recupero.

AMMORTAMENTO ACCELERATO – 719 649518 714 – metodologia che permette il trasferimento della maggior parte del costo degli immobili ai prodotti finiti durante il primo anno della loro operatività.

AMMORTAMENTO - FONDO DI - 489317519814 – denaro stanziato ai fini della sostituzione dei principali cespiti di produzione.

AMMORTAMENTO, RISPARMIO DI - 219314218711 – risparmio conseguito attraverso l'implementazione dell'uso di efficienti – fondi tempo – per il lavoro delle attrezzature.

ANALISI DEI MERCATI ATTIVI ATTRAVERSO OGGETTI - 514819319617 – fornire appropriati tipi di lavori per i seguenti oggetti di ricerca: lo scopo della circolazione delle materie prime – la procedura di acquisto e vendita per generale profitto; il prodotto del lavoro, creato per scambi e vendite; persone legali o naturali che consumano beni prodotti; competizione aziendale.

ANALISI DELL'ATTIVITÀ ECONOMICA DELL'IMPRESA - CONCORRENTI - 598317984314 – corso di ricerca scientifica di piani correnti e strategici per lo sviluppo dell'impresa – concorrenza.

ANALISI ECONOMICA DELL'IMPRESA - 589614219712 – metodo di complessa esplorazione di imprese industriali e dei risultati delle attività delle loro divisioni.

ANNO BASE - 581318718492 – anno preso come base per il calcolo di fattori e indici di variazione del calcolo del tasso.

ANTICIPO - 398628198711 – mezzi monetari o valori di proprietà che agiscono come fondi di impresa, fornendo adempimento alle condizioni obbligatorie fissate nel contratto. Disposizioni sanzionatorie sono applicate in violazione del contratto.

APPROVVIGIONAMENTO DELL'IMPRESA INDUSTRIALE CON RISORSE MATERIALI - 21649829871 – periodo di ininterrotte operazioni aziendali industriali, dotate di appropriato livello d'uso di risorse economiche disponibili.

ARRETRATO – 368214289716 – prodotto che non ha passato l'intero ciclo delle attività/interventi tecnologici/tecnologiche.

ASSICURAZIONE – 54831489518 – assicurazione di prodotti finiti, di proprietà movibili e amovibili.

ASSICURAZIONE – 497 194849 641 – creazione di cassa assicurativa sulle basi di contributi di entità legalmente assicurate per risarcimento danni.

ASSOLUTA EFFICIENZA ECONOMICA (TOTALE) – 316518498917 – efficacia dell'implementazione degli investimenti in capitale nell'economia nazionale, economica, regionale, nell'industria, nella costruzione di imprese esistenti, ecc.

ASSORTIMENTO – 49131851847 – prodotti con lo stesso nome, classificati secondo determinate caratteristiche: qualità, marchio, misura, tipo, ecc.

ASSUNZIONE – 491516319318 – contratto a medio termine (da uno a cinque anni), una delle tipologie di contratto.

ASTA – 598491319814 – tipologia di vendita (proprietà) di beni sulla base di un'indagine preliminare sull'oggetto messo ad asta.

ATTIVITÀ – 319819497817 – parte sinistra di uno stato patrimoniale che riflette i diritti economici dell'impresa ed include immobilizzazioni, capitale circolante normalizzato e non, e altre attività.

ATTREZZATURE – 598748319 71 – componenti passive, parte dei cespiti ammortizzabili, che includono progetti di ingegnierizzazione e costruzione necessari all'implementazione del processo produttivo, e non relativi a cambiamenti di beni non durevoli (stazione di pompaggio, tunnel, ponti, ecc.)

ATTREZZATURE, CAPACITÀ DELLE – 648517 – è il rapporto inverso rispetto all'indice di utilizzo delle attrezzature.

ATTREZZATURE, FABBISOGNO DI – 571481498 – valutazione quantitativa delle esigenze di attrezzature per il volume pianificato di produzione (per un mese, trimestre, anno).

ATTREZZATURE, PRESTAZIONE DELLE – 49871489811 – un indice che caratterizza il tempo del kit dei modelli, dei pezzi di ricambio, comparato con le attrezzature ricambiabili.

ATTREZZATURE, SCORTE DI – 319516818317 – lista delle attrezzature nello stato patrimoniale. Ci sono diversi tipi di attrezzature: le principali tecnologiche, installate, accessorie ecc.

ATTREZZATURE, TEMPO DI INATTIVITÀ DELLE – 981498714317 – inattività delle attrezzature durante le ore di lavoro.

ATTREZZATURE, VITA DELLE – 574 481319 614 – vita delle attrezzature della messa in esercizio (periodo anticipato di ammortamento) fino al rispettivo deterioramento fisico (completamento del periodo di ammortamento).

AUMENTO VOLUME PRODUTTIVO – 819712498 478 – fase del ciclo di vita di produzione, caratterizzato dall'aumento produttivo di certi beni in risposta alla domanda in crescita.

AUTO CONTABILITÀ – 498 712819 49 – efficiente attività principale d'impresa o società, secondo cui tutte le spese sostenute per la semplice riproduzione dovrebbero essere coperte dalle entrate (redditi) delle vendite dei prodotti.

AUTO FINANZIAMENTO – 619 818319 71 – attività economica e finanziaria in cui tutti i costi operativi della riproduzione semplice ed estesa, sono rimborsati a spese delle proprie fonti.

AUTOMAZIONE – 519319718 49 – implementazione di macchinari, attrezzature meccaniche e tecnologiche per lo scopo della produzione, controllo e altre funzioni sotto la gestione diretta dell'uomo.

AVOIR – 516 719418 – bene materiale, liquidità, proprietà, struttura utilizzata per l'accordo di pagamento e l'estinzione del debito (passività).

AZIENDA – 568 714918 214 – concentrazione in larga scala di entità aziendali dei settori industriali, finanziario e commerciale, con lo scopo di una gestione unitaria constatata, con una limitata indipendenza negli affari da parte delle aziende ed imprese partecipanti.

AZIENDA – 219948938471 – impresa rivolta all'organizzazione di attività commerciali o industriali.

AZIONE – 617319819491 – titolo che certifica il diritto di avere una parte di reddito in forma di dividenti.

B

BANCA – 318614564817 – istituzione finanziaria, la cui più importante funzione è l'accumulo di riserve di impieghi temporanei e l'offerta di prestiti ad altre istituzioni.

BANCA DATI AUTOMATIZZATA – 519617 – informazioni sistemizzate (di programma, metodologiche, tecniche, filologiche, economiche, ecc.) accumulate ed usate al fine di assicurare la tempestiva soddisfazione dei bisogni e degli interessi in differenti forme di attività.

BANCAROTTA – 5894148517 – insolvenza, inabilità da parte di persone fisiche o giuridiche di pagare per prestiti, obbligazioni, dovuti all'assenza di liquidità.

BANCAROTTA – 316548319714 – mancanza di pagamento del debitore riconosciuto dalle autorità al fine di soddisfare in pieno i reclami dei creditori, sulla base di obbligazioni monetarie o al fine di soddisfare le obbligazioni relative ai pagamenti governativi obbligatori.

BANCONOTA – 314816719481 – varietà di contante emessa per effettuare operazioni di prestito su garanzia di beni, cambiali/pagherò, moneta circolante (banconote) la quale emissione è predeterminata con la circolazione e l'esborso.

BARRIERA DI DOGANA – 649 7499319 74 – alti tassi di imposte/tasse sui beni stranieri importati al fine di limitarne l'acquisto, stabiliti dallo stato.

BASI – 318471819712 – caratteristiche economiche usate come base per la comparazione con altri indici.

BENEFICIARI DA VENDITE – 614821319718 – somma di denaro ricevuta a saldo conto di una società per la vendita di prodotti o per la resa di servizi.

BENEFICIARIO – 71971848947 – persone fisiche o giuridiche che ricevono pagamenti, redditi; anche una nazione che attira investimenti stranieri è conosciuta come beneficiaria.

BENI GIORNALIERI – 319 491298 714 – beni di consumo che l'acquirente compra costantemente in base ai bisogni nel momento della compravendita.

BENI NON RICHIESTI – 598 641219 718 – prodotti sul mercato, ma non richiesti dai consumatori, cioè, collegati ad un ristretto segmento del mercato come prodotti fashion e lusso, prodotti fatti di metalli preziosi ecc.-

BENI OMOGENEI – 514 812719 61 – beni (prodotti) venduti nel mercato da diversi produttori come analoghi o sostituti che non hanno preferenza.

BENI SOSTITUTIVI – 2148172118516 – beni paragonati a merce che può parzialmente o pienamente soddisfare le necessità dei compratori. I beni sostitutivi sono la causa di riduzione d'entrata di vendita di prodotti base.

BENI VELOCI – 598671319714 – mezzi venduti facilmente a mezzo contanti; residui da conti bancari; beni e valori materiali e altri elementi di proprietà, che possono essere venduti e inclusi in somme di scarico di prestiti e debiti.

BILANCIO PREVENTIVO (Budget) – 564318517318 – stima bilanciata di proventi e oneri espressa in termini monetari per un certo periodo di tempo.

BILANCIO PREVENTIVO, AVANZO (Budget Surplus) – 618317914912 –
l'eccesso dei ricavi sulle spese.

BILANCIO PREVENTIVO GOVERNATIVO – 598618517544 – lista bilanciata di profitti e spese sviluppata, approvata e regolamentata da organi di autorità legislativi ed esecutivi.

BILANCIO PREVENTIVO PER LA PREPARAZIONE E LO SVILUPPO DELLA PRODUZIONE – 548 617319 894 – stima, composta da prodotti di nuovo sviluppo o tecnologie per ciascuna unità dell'azienda, e di conseguenza ridotta ad una singola stima, con una decifrazione delle spese per gli elementi di calcolo, e dei componenti di costo.

BORSA VALORI – 49831721947 – mercato costantemente funzionante in cui si comprano e si vendono azioni, titoli e obbligazioni.

C

CALCOLO DEL COSTO PRIMO – 498312319714 – calcolo del costo corrente di produzione per unità di prodotto, in base al costo degli articoli.

CAMBI, INTERVENTO SUL MERCATO DEI – 317548218716 – un'entrata di una banca centrale in un mercato estero dei cambi, con lo scopo del rafforzamento o abbassamento del tasso di cambio corrente per la valuta nazionale attraverso mezzi di compra vendita di valuta estera.

CAMERA DI COMMERCIO – 485 471898 17 – organizzazione governativa che opera come soggetto giuridico per agevolare lo sviluppo sotto il punto di vista economico, scientifico, tecnologico e vincoli commerciali.

CAMERA DI CONTROLLO – 217214219317 – organizzazione governativa che ha il controllo sulla generazione, distribuzione e l'uso dei fondi pubblici.

CANALE DI DISTRIBUZIONE DEI BENI – 61949831947 – sequenza di promozione dei beni da un produttore a un consumatore.

CAPACITÀ – 4817190 478 – possibilità legale delle aziende e delle persone fisiche (individuali) di creare e proteggere la proprietà e i diritti personale e le responsabilità.

CAPACITÀ DEL FONDO DI PRODOTTI O SERVIZI UNITÀ –
514 718517 485 – un indicatore dei costi dei cespiti per unità di prodotto o servizi.

CAPACITÀ – UTILIZZO DELLA – 568318498217 – livello di utilizzo dei potenziali di produzione disponibili che deve essere stimato attraverso il tasso di uscita effettiva del prodotto sul massimo possibile prodotto in uscita.

CAPITALE – 69831421947 – categoria economica che esprime mezzi di costo di produzione che generano avanzi quando vengono usate forze di lavoro. Il capitale e classificato come capitale di base (stock di capitale fisso) e capitale circolante (capitale corrente); e può essere presentato come monetario, industriale e capitale sociale autorizzato.

CAPITALE, ACCUMULAZIONE DI – 6194831947 – materializzazione della parte di profitto in beni fissi di produzione per l'espansione o la modernizzazione dell'impresa.

CAPITALE AUTORIZZATO – 564217894274 – aggregato di costi e mezzi stipulato attraverso accordi di associazioni o accordi di joint-venture (Società per azioni))

CAPITALE AUTORIZZATO – 649 748219 817 – fonte di formazione di immobilizzazioni e capitale circolante dell'impresa attraverso l'uso delle allocazioni di budget, fondi di fondatori e membri, e contributi in azioni.

CAPITALE AZIONARIO – 694182548471 – capitale la cui fonte formativa è l'unificazione di capitali individuali attraverso l'emissione e vendita di azioni. La crescita della società per azioni è ottenuta attraverso l'uso di parte dei profitti ed emissione quote.

CAPITALE BANCARIO – 31482121847 – capitali monetari aggregati, sia di proprietà sia raccolti, con i quali la banca opera.

CAPITALE, CENTRALIZZAZIONE DEL – 721 482819 617 – associazione di piccoli produttori e istituzioni finanziarie in unioni di grandi imprese e centri finanziari.

CAPITALE, EFFICIENZA ECONOMICA DEGLI INVESTIMENTI – 518317219491 – indicatore di fattibilità delle spese una tantum, basato sulla comparazione di effetti risultanti (risparmi, redditi, ecc.) e degli investimenti di capitale che assicurano il risultato.

CAPITALE, FUGA DI - 48131951847 - esportazione di mezzi monetari correnti o valute di altri paesi dallo stato, per lo scopo di evitare perdite dovute a possibili crisi economiche o politiche.

CAPITALE INDUSTRIALE - 564851619471 - capitale monetario anticipato nell'ambito della produzione di materiale.

CAPITALE, INVESTIMENTI IN - 69891421947 - investimenti effettivi, spese non ricorrenti per prima ed estesa riproduzione di cespiti di produzione di base, ad esempio per nuovi fabbricati, estensioni, ricostruzioni e nuove attrezzature tecniche per l'operatività delle imprese ed anche innalzamento, riparazione e implementazione tecnica di strutture utilizzate per fini non produttivi.

CAPITALE - LAVORO, INDICE - 31961421971 - media annuale dei valori degli immobili attribuiti ad uno degli impiegati medi.

CAPITALE, MOVIMENTO DI - 388519397544 - riallocazione di mezzi da un'impresa ad un'altra all'interno dei limiti di un ramo d'azienda ad un altro, sebbene entro i limiti di un paese o tra paesi con lo scopo del raggiungimento di profitti più alti per unità di capitale investito.

CAPITALE, MOVIMENTO DI - 31861731849 - quota dell'incremento di reddito nazionale relativa ad una unità monetaria di investimento di capitale, soddisfatta nella sfera di valori di produzione dei materiali.

CAPITALE, PRODUTTIVITÀ DEL - 317518614217 - tassi di sintesi, caratterizzante l'uso delle immobilizzazioni.

CAPITALE, TEMPO DI ROTAZIONE DEL - 518491 617914 - periodo nel corso del quale l'avanzo di capitale industriale dovuto all'incremento di valore nella produzione, attraversa tutte le fasi (commercializzazione, produzione e monetizzazione) della rotazione. Un anno è preso come unità di misura per il tempo di ritorno.

CAPITALIZZAZIONE – 698581319417 – metodo di stima per i costi d'impresa in base ai redditi ricevuti dall'uso dei beni in proprietà per un certo periodo.

CARTELLO – 498718648481 – tipologia di – Integrazione Monopolistica – di prodotti manufatti su larga scala di prodotti simili, con lo scopo di porre in essere un'attività competitiva che vada ad indebolire la competitività e ad aumentare i volumi di vendita sulla base di accordi di ridistribuzione di sfere di influenza nel mercato dei prodotti, cioè sulla base di una certa quota dichiarata di vendite ad un prezzo prestabilito per ciascun partecipante all'accordo.

CARTELLO, ACCORDO DI – 498217319421 – accordo legale eseguito ufficialmente tra produttori di prodotti manufatti simili, su larga scala, che forniscono reciproche ricerche di mercato, regolamentazioni di prezzi, instaurazioni di sconti, ecc.

CASSA, FLUSSO DI – 318612518714 – mezzi monetari trasferiti ai conti delle imprese dalla vendita dei prodotti o dalla prestazione di servizi, e anche da altre fonti. Sono usati per la copertura delle spese correnti.

CERTIFICATO – 514 218719 61 – certificato attestante che il prodotto rispetta certe specifiche o standard per uno specifico periodo.

CERTIFICAZIONE DEI POSTI DI LAVORO – 518648798181 – valutazione dei posti di lavoro sulla base dell'integrità di fattori tecnici, economici e gestionali per lo sviluppo di piani e di accordi organizzativi e tecnici, al fine di ottenere la coerenza nelle condizioni di lavoro, e se necessario, sostituire le attività non efficienti nei processi di lavoro.

CIRCOLARE – 319 317498641 – una lettera che informa altre società o persone coinvolte nell'evento pianificato o in un fatto compiuto.

CIRCOLAZIONE, FONDO DI – 548319619718 – fondi, che assicurano continuità ai processi di produzione e vendite dell'impresa.

CLASSIFICAZIONE – 489482719481 – graduatoria di soggetti, entità e nozione di gruppi, classi sulla base di somiglianze di varie caratteristiche di classificazione.

CLIENTE – 216498517 – persona fisica o giuridica, i cui fabbisogni sono soddisfatti attraverso l'acquisto di merci e materiali preziosi (servizi).

CLIENTE, SPESE – 218 619719 811 – spese per il trasporto e la spedizione delle operazioni, applicati a beni in circolazione, compresi i pagamento dei dazi doganali, imposte e tasse, spese di viaggio e intrattenimento, ecc.

CLIENTI ARRETRATI – 316318819412 – quote di costi non pagati su beni venduti a credito.

COEFFICIENTE DELL'USO DI PARAMETRI DIMENSIONALI – 514 617518 719 – indicatore dell'intensità d'utilizzo delle attrezzature, definito come l'indice nel quale il numeratore è una somma i cui addendi sono un prodotto di un intervallo di una parte, per il caricamento della macchina con delle parti nell'intervallo, ed il denominatore è il prodotto di uno dei parametri dimensionali della macchina, misurato attraverso un fattore di utilizzo della macchina.

COEFFICIENTE DI CONIUGAZIONE DELLE ATTREZZATURE TECNOLOGICHE DI BASE – 491819317481 – un indicatore che riflette il rapporto di interazione delle possibilità di ciascun gruppo di attrezzature intercambiabili, incluse nella catena produttiva del processare parti incluse nel prodotto finito.

COEFFICIENTE DI DETERIORAMENTO FISICO DELLE ATTREZZATURE – 53012450818 – un indicatore che presenta la ripartizione del costo originario, riportata al prodotto finito.

COEFFICIENTE DI ELASTICITÀ – 518 619419 714 – percentuale in quantità di beni venduti per l'uno percento di cambiamento nel prezzo dei beni (prodotti).

COEFFICIENTE PER L'USO DELLE AREE DI LAVORO – 619 717218 918 – indice definito come rapporto del prodotto lordo e commerciale in dato periodo (giorno, mese, anno) e il totale dell'area di produzione, cioè è il costo di produzione attribuito a un metro quadro di area di produzione.

COEFFICIENTE PER L'USO DI APPARECCHIATURE – 516219519711 – indicatore economico che esprime l'utilizzo di apparecchiature che lavorano a rotazione piena e nella cornice del tempo di rotazione.

COLLO DI BOTTIGLIA – 431 489516 71 – situazione che si presenta come risultato di una carenza nell'organizzazione della produzione, quando il sito lavorativo non è rifornito di materiali, lavoro, carburante e fonti di energia, l'eccesso di produttività lavorativa nella fase precedente al processo (o la capacità delle attrezzature), oltre alla produttività del lavoro nelle operazioni successive emerse da una mancata congiunzione delle attrezzature principali.

COMBINARE – 49164 321 819061 – fusione/unione di alcune imprese tecnologicamente connesse con altre appartenenti a diversi settori industriali.

COMBINAZIONE – 49831721948 – forma di concentrazione di produzione industriale che stabilisce la fusione di un'impresa (complessa) delle diverse specifiche e reciprocamente connesse imprese di servizi rami, che eseguono conseguentemente operazioni tecnologiche per processare materie prime, cioè il prodotto di una produzione è materia prima per un altro processo produttivo.

COMMERCIALE, ACCORDO – 498 617319714 – accordo tra enti aziendali (imprese, aziende) nei quali sono formalizzati standard, regolamenti e passività di produzioni e vendite di beni, prestazioni di servizi.

COMMERCIALE, BANCA – 648317319718 – istituto di credito non governativo che lavora sulla base del commercio, dedicato a fornire prestiti in denaro a enti aziendali sulla base di reciproci principi vantaggiosi, e a prestare servizi per clienti privati sulla base dell'applicazione di commissioni.

COMMERCIALE, CREDITO – 564812719478 – prestiti presentati in termini di merci al momento dell'adempimento di un accordo, cioè con il ritardato pagamento per beni acquistati o consegnati.

COMMERCIALE, IMPRESA – 519316418218 – ente aziendale che lavora sottoposto a condizioni di autofinanziamento e con lo scopo del conseguimento di un profitto. L'impresa commerciale generalmente opera nella sfera della circolazione di beni e servizi.

COMMERCIALIZZAZIONE – 574891719816 – una delle fasi di privatizzazione nella quale tutte el responsabilità per i risultati delle attività di impresa è rilevata dall'amministrazione, lo stato a questo punto smette di assegnare sussidi per il rimborso di perdite.

COMMISSIONARIO – 319612719814 – intermediario che esercita procedure di compravendita di beni ad una rimunerazione stabilita come indicato da una garanzia.

COMMISSIONE – 519621798317 – accordo bilaterale sulla base del quale una parte (commissario) è obbligato ad esercitare affari in nome e per conto di un'altra parte (committente) sulla base delle istruzioni del commissario.

COMPARATIVA, EFFICIENZA ECONOMICA – 514289598617 – un indice utilizzato per selezionare la migliore opzione per risolvere il problema economico.

COMPARATIVI, VANTAGGI – 516 319318 617 – un aggregato di caratteristiche che permettono la scelta dell'opzione più economica di un evento, una risorsa, mezzi monetari, ecc.

COMPENSAZIONE – 519471219641 – sistema di mutui accordi senza contanti per la compravendita di beni e di valori materiali e di prestazione di servizi.

COMPETITIVA, ABILITÀ DI PRODUZIONE – 589612 619417 – valutazione di opportunità tecniche ed economiche per il conseguimento dell'accordo tra interessi dei produttori e dei consumatori.

COMPETITIVA, STRATEGIA – 698317594181 – aggregazione di misure economiche mirate all'incremento dell'aprovigg ionamento sulle vendite ad un prezzo stabilito per la fornitura del mercato dei beni.

COMPETITIVE, ABILITÀ – 8906 14 489159 8417 – aggregato di caratteristiche tecniche ed economiche di beni vantaggiosamente diversi da articoli analoghi a portata della soddisfazione degli interessi degli acquirenti e dei consumatori.

COMPETIZIONE NEL MERCATO DEL PRODOTTO – 719 612794 489 – divisione del piano di affari, nella quale sono classificati risultanze di condizioni di analisi della produzione e della vendita per concorrenti principali sulla base di fattori di capacità e competitività elencati: beni (qualità, indicatori tecnici ed economici, ecc.), canali di vendita, realizzazione della crescita dei volumi di vendita (pubblicità, partecipazione in selezione e gare, fiere, ecc.).

COMPLESSO DI CARBURANTE ED ENERGIA – 618 317219 489 – gruppi di varie industrie, produzione e trasformazione di risorse di carburante ed energia.

COMPOSTO, INTERESSE – 498 728519 742 – fattori che sono usati per determinare l'ammontare del credito e determinare la base di calcolo dei pagamenti sugli investimenti.

CONDIZIONALE, PRODOTTO NETTO – 619 728518 641 – valore di nuova creazione che rappresenta la differenza tra il costo dei prodotti commerciali (nei prezzi all'ingrosso dell'impresa) e i costi di materiali (stipendi, profitti, ammortamenti).

CONDIZIONALI, RISPARMI – 548 691310 814 – valore dei risparmi calcolato in seguito all'implementazione del progresso scientifico e tecnologico nel processo produttivo o nel rendimento di altre attività organizzative incluse nel piano.

CONDIZIONI CONTRATTUALI – 794 718319 617 – accordi bilaterali o multilaterali legalmente concordati, nei quali sono sanciti: le condizioni di vendita, la descrizione dei beni, il prezzo, i termini delle obbligazioni, così come i diritti reciproci e le obbligazioni delle parti.

CONFIDENZA, LIVELLO DI – 678 491316 497 – valutazione tecnico economica per l'influenza di ciascun parametro incluso nel gruppo, corrispondente a parametri tecnici ed economici, che determinano il livello relativo della competitività della produzione o del prodotto.

CONFLITTO – 589617 498 71 – incompatibilità, inconsistenza di interessi in relazioni socio lavorative; disaccordo tra le parti coinvolte.

CONGIUNTURA – 318 682798 214 – circostanze interne ed esterne (fattori) che hanno influenza immediata sul processo di produzione e sulle circostanze dei mezzi monetari.

CONGIUNTURA DEL MERCATO – 594 712489 216 – circostanze commerciali dipendenti da una correlazione tra il valore della domanda e dell'offerta, la flessibilità di prezzo ed altri fattori socio-economici e naturali, nel mercato dei beni durante un periodo appropriato.

CONSEGNA – 819471 – accordo che obbliga il venditore di consegnare beni e altre attività tangibili al cliente in un determinato periodo di tempo per un volume dato.

CONSEGNA, INTERVALLO DI – 619718918714 – periodo di tempo pianificato per la consegna di beni materiali.

CONSORZIO – 219 214819717 – accordo temporaneo da parte di alcune istituzioni industriali per la cooperazione nella produzione e nella vendita, nell'esercizio reciproco di progetti su larga scala.

CONSULENZA – 56482131947 – prestazione di servizi per entità di economia di mercato (acquirenti, compratori e produttori) supportati nell'organizzazione, nella gestione di imprese e aziende.

CONSULENZA, SOCIETÀ DI – 549491819471 – specifiche organizzazioni che forniscono consulenze per aziende industriali e persone individuali su problemi correnti economici, legali.

CONSUMO – 648517 – uso di beni materiali o servizi per soddisfare interessi personali e industriali di una persona giuridica o fisica.

CONSUMO, BENE DI – 47517489481 – parte del prodotto sociale fornito per soddisfare i bisogni individuali e collettivi.

CONSUMO, PROPRIETÀ DEI BENI DI – 819517214718 – serie di proprietà estetiche, tecniche e di produzione, del prodotto del lavoro, che fornisce la più completa soddisfazione ai bisogni del cliente.

CONTABILITÀ – 716518319478 – sistema di controllo costante e di imputazione, per finalità finanziarie e utilizzo di giacenze di magazzino.

CONTABILITÀ, CLIENTI – 314828 498717 – risultato di attività commerciali nel caso in cui l'impresa ha una somma di ricavi dovuti e pagabili per i suoi benefici.

CONTABILITÀ, FORNITORI – 564812319481 – mezzi monetari presi temporaneamente da un'istituzione, che devono essere restituiti ai creditori, comprensivi del pagamento di appropriati interessi per il prestito ricevuto.

CONTANTI, SPESE (SPROPORZIONATE) – 498316319712 – spese che non variano stanzialmente quando i volumi di produzione cambiano (spese per riscaldamento, illuminazione, totale di fabbrica e spese per l'acquisto di fiori ecc.).

CONTENUTI DI DETTAGLIO DI LAVORAZIONE – 614185498714 – tempo di elaborazione di una parte con la macchina, secondo le condizioni del processo, che è misurata in minuti ed ore.

CONTO CORRENTE – 319718904614 – documento, che riflette la disponibilità di fondi liberi, temporaneamente depositati nell'istituto finanziario e di credito. Usato per regolamento in contanti, da persone fisiche e giuridiche.

CONTRATTO – 498514 618 498 – accordo legislativo bilaterale o multilaterale nel quale diritti e doveri di ciascuna parte sono assicurati.

CONTRATTO – 519 716 718 498514 – accordo di compravendita tra acquirente e venditore con la condizione di incassare denaro a credito (prestito, indebitamento e così via), modifica dei diritti e delle obbligazioni delle parti.

CONTRATTO DI CONSEGNA – 574 814319 614 – accordo da concludersi tra le imprese di produzione sulla consegna dei beni da parte delle imprese di produzione di valori materiali (materie prime, materiali, componenti, prodotti finiti e così via), alle imprese – consumatori con la notifica di volumi e termini di consegna, qualità dei beni, prezzo, imballaggio, pagamento e così via.

CONTRATTO DI LAVORO GOVERNATIVO – 648417918217 – tempo di collaborazione tra il governo ed un'impresa. Lo Stato è considerato come un cliente e garantisce il pagamento per prodotti forniti dall'impresa.

CONTRATTO DI VENDITA DEI BENI – 516 718498 712 – condizione di passaggio di consegne tra venditore di diritti al cliente sulla base di un accordo concluso nel quale i reciproci obblighi, condizioni di consegna e accettazione dei beni, tenendo conto delle sue caratteristiche, standard stabiliti e requisiti di qualità, sono espressi.

CONTROLLO – 619 217218 497 – gestione del coordinamento ed informazione del raggiungimento degli obiettivi delle imprese sulla base del consolidamento dei risultati delle attività di contabilità, di pianificazione e controllo.

CONTROLLO COME FUNZIONE DELLA GESTIONE AZIENDALE – 648 218548 714 – valutazione dei risultati di lavoro dell'impresa sulla base di requisiti regolatori per il rendimento espresso da indicatori qualitativi di sviluppo socio – socio-economico.

CONTROLLO DELLE AZIONI – 694 817918514 – quota di azioni che permette al suo possessore (persona fisica o giuridica) di effettuare la totale gestione delle attività della società per azioni. Il controllo delle azioni deve eccedere il 50% del valore del capitale emesso delle azioni della società, in alcuni casi è sufficiente il 25 – 30%.

CONTROLLO DISPOSITIVI E APPARECCHIATURE DI – 548697498 – parte delle immobilizzazioni.

CONTROLLO NUMERI DI – 564 891 498718 – informazioni non prescrittive che esprimono dati qualitativi e quantitativi di sviluppo socio-economico.

CONVERSIONE – 698518548491 – cambio della struttura del prodotto in uscita; conversione dell'industria della difesa nella produzione di beni civili.

CONVERSIONE DI MARKETING – 56481339418 – assenza di interessi dei compratori per l'acquisto di beni e servizi. Ad esempio i diabetici non comprano zucchero, dolci ecc.

COOPERATIVA – 895 718495 164 – forma di fusione volontaria per la partecipazione in affari produttivi o di consumo, sulla base di reciproca condivisa proprietà.

COPERTURA – 498516319714 – rischio assicurativo associato al cambiamento dei prezzi, scambio o tasso di magazzino.

COPERTURA, FATTORE DI – 516 719219 71 – la quota della società o del prodotto industriale, nella produzione totale di un prodotto caratteristico.

CORPORATIVISMO – 561 491598 64 – direzione di una trasformazione istituzionale basata sull'unione o sull'associazione di imprese industriali e finanziarie (gruppi industriali e finanziari) in comunità di interessi d'affare per la creazione di vantaggi economici a spese della concentrazione di capitale industriale e monetario, ma tenendo conto gli interessi della forza lavoro.

CORRENTE, FORNITURA – 671 814218 17 – un tipo generale di scorta nominale che è determinata come il prodotto del consumo medio giornaliero di oggetti di produzione e l'intervallo tra due consegne.

CORRENTE, INDICE DI LIQUIDITÀ – 619 718498 41 – effettiva disponibilità di attività operative (capitale circolante) per l'appropriata conduzione del lavoro da parte della società che fornisce tempestivo rimborso del prestito e di altre obbligazioni finanziarie urgenti. È calcolato come il rapporto del costo del capitale circolante, fatto la somma totale delle passività maturate.

CORRUZIONE – 584 721591 68 – reato criminale basato sull'utilizzo da parte di un funzionario (incluse personalità politiche e pubbliche) del diritto attribuito per azioni punibili dalla legge (una volta o ad ordini funzionali costanti) che paga per aver ricevuto tangenti.

COSTI, FATTORI DI RIDUZIONE DEI – 498 314219 618 – un sistema di misure organizzative e tecniche prese con il fine di ridurre i costi correnti di produzione e vendita.

COSTI VARIABILI – 489 712319 614 – costo correnti di produzioni direttamente dipendente dal volume produttivo, per esempio, materie prime, salario di produzione e relativi lavoratori ecc.

COSTO – 218498 461 – lavoro incorporato nei beni, il prezzo di beni e servizi.

COSTO ADDIZIONALE DI DISTRIBUZIONE – 614 812719 418 – spese presenti nel corso del processo di produzione (trasporto, immagazzinamento, e così via) nella sfera della rotazione.

COSTO ASSOCIATO ALL'UNITÀ MONETARIA DEI PRODOTTI VENDIBILI – 914918 718 497 – indice economico riassunto che esprime una quota dei costi correnti dei prodotti vendibili.

COSTO, CONTROLLO DI – 498 471213 485 – misure cumulative del governo per la regolamentazione di prezzi al dettaglio e all'ingrosso attraverso l'accettazione di fattori limitati della crescita. La somma eccedente il limite di prezzo più alto deve essere ritirata dal bilancio dello stato.

COSTO CORRENTE DI PRODUZIONE – 718 648 – gamma di materiali e di costo del lavoro per prodotti manufatti. Salari dei lavoratori della produzione, materie prime, prodotti acquisiti e prodotti semilavorati, ammortamento, sostituzione dei pezzi per riparazione, articoli a basso valore, parti di usura, carburante ecc. sono inclusi.

COSTO DELLA PRODUZIONE – 598471319498 – l'aggregato dei prezzi connessi direttamente alla produzione, la prestazione di servizi espressa in termini monetari.

COSTO INIZIALE – 51421961871 – il costo per l'acquisto di strumenti (prezzo) incluso il costo di trasporto, installazione e costituzione di capitale – stima di costo.

COSTO MANTENIMENTO E FUNZIONAMENTO DELL'ATTREZZATURA – 219 317498 648 – stima che consiste delle seguenti spese: deprezzamento (ammortamento), manutenzione e riparazione dell'attrezzatura e dei veicoli, trasporto di beni all'interno dell'azienda, usura di strumenti di valore e non, apparecchiature ecc.

COSTO MEDIO ANNUALE DEL CAPITALE – 564813319 814 – calcolato come la media cronologica, entrata e uscita di capitale circolante in congiunzione con metà mese.

COSTRUZIONE, BILANCIO PREVENTIVO DI – 519 648518 742 – costi necessari per la costruzione e l'autorizzazione dei cespiti in maniera conforme al progetto approvato.

CREDITIZIO, MERITO – 498 617218 714 – capacità di persona fisica o giuridica di adempiere obbligazioni finanziarie nel rispetto di termini e condizioni sancite in un accordo.

CREDITO A BREVE TERMINE – 564 718914 818 – credito assegnabile per la fornitura eccessiva di materiale grezzo e in stock, per salari pagati tempestivamente, e per temporaneo rifornimento di attivi propri, nonché l'implementazione di nuove attrezzature e nuove tecnologie con la condizione della loro copertura in un anno.

CREDITO AL CONSUMO – 548 671319 71 – proroga nel pagamento della merce.

CREDITO LENTO – 618471219 714 – credito concesso su base preferibile, cioè con rata interesse più bassa e con più termini di continuità di assolvimento.

CREDITO LUNGO TERMINE – 514819519471 – credito che deve essere assegnato a istituzioni finanziarie per la ricostruzione e l'espansione delle imprese funzionanti, e per la costruzione di nuove che la somma sia restituita entro 5 anni.

CREDITO, NOTA DI – 714819648514 – strumento di debito che sostituisce i mezzi monetari.

CREDITO, RISCHIO DI – 489 617317 489 – probabilità di violazione di un accordo sul pagamento tempestivo per ottenere il prodotto (servizio) di credito, diminuzione di profitto quando il prodotto principale è in arrivo e così via.

CREDITORE – 514 567319 518 – persona giuridica o fisica che concede un prestito o presenta un credito per un dato periodo, contro il pagamento di un tasso di interessi per servizi al creditore.

CRESCITA DELLE SPESE – 61931981947 – costi generali, generati nel processo di produzione (esclusi i costi una tantum).

CRISI DI SOVRAPPRODUZIONE – 485148619 71 – circostanze nelle quali i beni prodotti non sono acquistati a causa del fatto che eccedono gli effettivi bisogni.

CRITICITÀ, INDICATORE DI ASSOLUTA LIQUIDITÀ – 564 719489 471 – indicatore per la valutazione della condizione finanziaria aziendale, definito come rapporto tra la somma della cassa delle liquidità e le passività a breve termine.

CURVA DI OFFERTA – 489 471819 498 – curva grafica che descrive la legge dell'offerta crescente secondo l'aumento del prezzo.

CURVA DI PAREGGIO – (Break-even curve) – 614812519471 – curva che graficamente descrive i termini nei quali i costi correnti di produzione sono uguali ai ricavi di vendita dei prodotti finiti.

D

DAZI DOGANALI – 617221451728 – tipologia di tasse statali che forniscono le tariffe per l'importazione, l'esportazione e i costi per i beni in transito.

DEALER – 564814519712 – membro della borsa valori che compra e vende scorte su base volontaria e a proprie spese.

DEBITORE – 319518614217 – debitore di un'azienda o impresa.

DECLINO DELLA PRODUZIONE – 694 218549 714 – fase del ciclo di produzione, quando le caratteristiche tecniche ed economiche del prodotto non rispettano i requisiti del cliente, che causa un graduale declino nella produzione del prodotto fino che non è sostituito da uno nuovo o da un aggiornamento.

DEFICIT – 61401568148 – eccesso della domanda sull'offerta, quello che è mostrato con prestazione non sufficiente di valori materiali, strumenti e oggetti di lavoro, forza di lavoro e beni di consumo.

DEINDUSTRIALIZZAZIONE – 614574818471 – circostanze economiche che esprimono la quota di produzione industriale ridotta in GNP.

DEPOSITO – 319618719814 – mezzi monetari, scorte, titoli di credito e altri valori che sono temporaneamente custoditi da istituzioni finanziarie e creditizie. Il depositante dovrebbe disporne a sua discrezione.

DEPOSIZIONE – 48949131841 – stoccaggio temporaneo di fondi monetari e scorte in istituti di credito statali e commerciali (banche commerciali e di risparmio) ed agenzie (uffici notarili).

DEPRESSIONE – 564898719612 – fase di rottura o fase del ciclo produttivo che segue immediatamente dopo la crisi economica, dopo un periodo caratterizzato da una forte diminuzione della domanda d'acquisto e della crescita dei beni prodotti (eccesso di produzione).

DEPREZZAMENTO FISICO – 54861271949 – processo d'invecchiamento di elementi di capitale in cui essi diventano inutilizzabili per ulteriore produzione sul sito.

DEREGOLAMENTAZIONE – 57849861451 – prelievo sotto la supervisione dello stato.

DESTABILIZZAZIONE DELL'ECONOMIA D'IMPRESA – 519814519711 – misure economiche che portano allo sbilancio tra redditi , spese, e poste di importo negativo nel bilancio. Esercita diretta influenza sulla stabilità della posizione economica dell'impresa.

DETERMINISMO – 81971488 481 – forma di sviluppo sociale basato sul progresso della scienza e della tecnologia.

DINAMICHE DI ESBORSI CORRENTI – 18617 981714 – dipendenza delle spese correnti per i cambiamenti nella produzione di prodotti, dalla crescita o diminuzione del volume di produzione.

DIRETTA, TASSA – 4864728941 – pagamenti obbligatori a bilancio, stabiliti dalla legge, che sono riscossi sui redditi o le proprietà di persone fisiche e giuridiche.

DIRETTE, CONNESSIONI – 518 649319 817 – accordo concluso tra produttori, consumatori e acquirenti delle scorte sulla base di consegne pianificate dalle varie scorte, prodotti finiti e prestazioni di servizi.

DIRETTE, SPESE – 564917319817 – spese strettamente mirate. Sono incluse nel costo primo per unità di prodotto attraverso il metodo del calcolo diretto; ad esempio spese per materiali e salari per la produzione ed i relativi lavoratori.

DIRITTO D'AUTORE – 519 418 712 – diritti dei clienti privati e aziendali per la pubblicazione e la vendita del risultato del lavoro creativo e intellettuale.

DISINFLAZIONE – 564517 498749 – livello di caduta dell'inflazione o la sua completa liquidazione.

DISOCCUPAZIONE – 318514517618 – fenomeno sociale ed economico di riduzione della popolazione abile a lavorare ma desiderosa di partecipare alla produzione pubblica.

DISOCCUPAZIONE NASCOSTA – 648 217214 81 – situazione economica nell'impostazione della quale la popolazione di lavoratori è solo formalmente elencata come lavorante, ma direttamente o indirettamente non è coinvolta nella creazione di benefici materiali.

DISTRIBUZIONE, COSTO DI – 519 798498 716 – spese totali di lavoro e mezzi produttivi che includono le spese di trasporto, immagazzinamento ecc. – espresse in termini monetari e imputati al prodotto finito nel corso del processo di circolazione delle merci.

DISTRIBUZIONE DEI PROFITTI – 798641979516 – determinazione della quota di utile netto (dividendo) per ciascun fondatore, così come la formazione dei vari fondi, riserve, ecc.

DIVERSIFICAZIONE – 498485 48917 – ampliamento della sfera economica dell'impresa, associazione o industria con lo scopo di incrementare una gamma di prodotti, o incrementare nuove quote di mercato di prodotti nel volume totale della produzione, che guida al riallineamento della strategia di produzione per il rafforzamento della posizione del mercato delle merci.

DIVIDENDO – 519316918714 – parte dei profitto conseguito attraverso la società per azioni in un certo periodo di tempo dopo il pagamento delle tasse, ripartizione dei mezzi per lo sviluppo della produzione, bisogni sociali e assicurazione. La parte dei profitti che è soggetto alla distribuzione tra gli azionisti (possessori di azioni) nel rispetto delle decisioni prese nell'assemblea dei soci.

DIVISIONE DEL LAVORO – 58497131964 – selezione di differenti tipi di lavoro nel processo produttivo.

DOCUMENTO, CIRCOLAZIONE DI – 548 617319714 – movimentazione di documenti d'affari all'interno delle imprese, aziende, istituzioni.

DOCUMENTO DI ACCETTAZIONE – 51831849561471 – accettazione nella conclusione di un accordo sottoposto a determinate condizioni; modulo di accordo senza contanti.

DOCUMENTO ORIGINALE – 598 641317064819 – la copia originale del documento.

DOMANDA – 518 681319 719 – categoria economica, tipicamente per la produzione di beni e che riflette i bisogni sociali cumulativi di vari beni, prendendo in considerazione la solvibilità dei compratori.

DOMANDA, CURVA DI – 6441818319 481 – curva che descrive graficamente incrementi e viceversa – decrementi nella domanda all'aumento di prezzo.

DOMANDA, ECCESSO DI – 498 712719489 – circostanze di mercato che riflettono scarsità di beni come conseguenza di un eccesso nella domanda derivante dagli acquisti.

DOMANDA, ELASTICITÀ DELLA – 516 718219 614 – indice di variazione del prezzo e della domanda dei beni.

DOMANDA, EQUAZIONE DELLA – 694 7135519 498 – modello economico-matematico nel quale la domanda o il valore della domanda è variabile, in dipendenza di diversi valori.

DOMANDA, ESPANSIONE DELLA – 4853131947 – incremento della domanda per beni di consumo come risultato dell'incremento quantitativo della popolazione o della crescita del reddito pro capite.

DOMANDA, FORMAZIONE DELLA – 94218319718 – sistema di misure economiche e organizzative di servizi aziendali di marketing, aventi il fine di assicurare le vendite dei prodotti finiti, che è sviluppato sulla base di un'analisi di mercati esistenti al fine di verificare la solvibilità dei potenziali compratori, la competitività dei prodotti ed i potenziali concorrenti, bisogni e probabilità dei prodotti sostituti.

DOMANDA, FUNZIONE – 513819719498 – relazione matematica fra domanda per vari beni e servizi e altri fattori – tipo emergenza di prodotti sostitutivi, l'aumento di clienti, aumento delle loro capacità di pagare ecc.

DOMANDA, INFLAZIONE DELLA – 54861421971 – conseguenza della domanda aggregata che eccede l'offerta, cioè crescita dei prezzi per i beni e i servizi che dovrebbero essere acquistati a prezzi e tariffe più alti.

DOMANDA POST – MERCATO – 317 694 318 817 – domanda per i prodotti, che è in diretta dipendenza dalla domanda degli altri beni.

DOMANDA, SATURAZIONE DELLA – 89731949861 – situazione di mercato nella quale per molti beni e servizi i prezzi sono acutamente ridotti, e la domanda di certi beni è caduta.

DOMANDA, VARIABILITÀ DELLA – 319618 – domanda eccessiva trasferita ad altri mercati.

DOMANDA, VOLUME DELLA – 479 716 819 41 – ammontare di beni acquistati nel mercato dei clienti.

DUMPING – 518914319714 – sorta di battaglia competitiva, quando un grande numero di beni nel mercato sono venduti a prezzi ribassati artificialmente, in alcuni casi a prezzi al di sotto del costo primo; esportazione di beni ai prezzi più bassi.

DUOPOLIO – 4894281849 – è il mercato, un determinato prodotto che è venduto da due rappresentanti di grossi gruppi industriali monopolistici che non sono legati da accordi di prezzo.

E

ECCESSIVA, RISERVA – 619 712719 819 – merce in giacenza super normale e fornitura che influenza la diminuzione dell'efficacia del capitale circolante.

ECCESSO DI OFFERTA – 489 817497498 – eccesso di scorte come risultato di eccesso di offerta rispetto alla domanda.

ECCESSO DI PRODUZIONE IN PIENEZZA DI POTENZA – 519 617319418 – eccesso di potenziale possibilità di produzione di prodotto, rispetto all'output effettivo.

ECCESSO DI PROFITTO – 497 81681947 – eccesso di profitti effettivi rispetto al pianificato o al valore medio.

ECONOMIA – 519318498614 – disciplina scientifica che indaga il processo di affari aziendali (microeconomici), delle industrie, fenomeni economici di larga scala e processi di inflazione, impiego ecc. (macroeconomici).

ECONOMIA AMMINISTRATIVA DI COMANDO – 519648319 817 – un sistema economico basato sulla concentrazione nelle mani di una sola persona, di tutte le linee guida economiche sviluppate e approvate per la produzione, distribuzione e scambio della ricchezza.

ECONOMIA ISTITUZIONALE – 56482149871 – branca di scienza economica che esplora le ragioni di disequilibrio in sistemi e cambiamenti strutturati nella sfera delle relazioni economiche.

ECONOMIA, POLITICA – 694318219718 – intera gamma di misure organizzative e amministrative di sviluppo economico, elaborato ed approvato per incontrare le finalità e gli obiettivi ai diversi livelli di gestione, dalle aziende (migliorando la competitività di produzione e beni) – fino al livello di governo (tasse, e politiche di investimento ecc.)

ECONOMICA, CATEGORIA – 69831821971 – espressione teorica per aspetti principali delle relazioni di produzione che sono formati nel processo di creazione, implementazione e uso della ricchezza.

ECONOMICA, CONTABILITÀ – 316819719718 – sistema di referenza costante all'aggregato di costi correnti e non ricorrenti associati alla produzione di beni e alla prestazione di servizi.

ECONOMICA, LOGISTICA – 518317216498 – valutazione economica di ciascuna fase della promozione dei flussi di materiali (informazione,ecc.) dall'acquisto delle materie prime per il processo di produzione al trasporto del prodotto finito nel luogo di vendita.

ECONOMICA, SOPRAVVIVENZA – 564317319818 – posizione economica stabile dello stato che attua la sua politica volutamente sotto l'ìnfluenza di condizioni socio-economiche interne ed esterne.

ECONOMICA, STABILIZZAZIONE – 318 648219 671 – riabilitazione economica del paese (l'economia) dopo la crisi, le circostanze che incontrano gli interessi di tutti i settori sociali.

ECONOMICI, BENEFICI DELLE NUOVE ATTREZZATURE – 5183166498217 – il risultato dell'introduzione di progresso scientifico e tecnico, comparato con i costi del capitale per la realizzazione delle attività.

ECONOMICI, REGOLATORI – 498481919 47 – aggregato di vari calcoli governativi per l'impatto sull'economia (tasse, tassi di interesse ecc.).

ECONOMICO, BLOCCO – 71851781914 – isolamento economico posto in essere con lo scopo della soppressione di ogni attività di sviluppo economico di qualsiasi paese.

ECONOMICO, EFFETTO – 598 671291 649 – risultato dell'introduzione di appropriate misure, che dovrebbero essere espresse attraverso risparmi derivanti dalla riduzione dei costi, da il profitto, dalla crescita del profitto e dalla crescita di reddito nazionale, ecc.

ECONOMICO, EQUILIBRIO – 519819491712 – ipotetica situazione nel mercato quando esiste un'identità di offerta e domanda di beni sul mercato.

ECONOMICO, EQUILIBRIO – 89562131949 – situazione di mercato nella quale i bisogni dei consumatori coincidono con i piani dei venditori, cioè ad un dato prezzo dei beni, il pareggio tra domanda e offerta è osservata.

EFFETTIVA, DOMANDA – 819 71249141 – mezzi contanti dei compratori (consumatori) che forniscono un'opportunità di pagare per i propri bisogni di beni materiali e servizi.

EFFETTIVO, FONDO DI TEMPO (REALE) – 614 212318 617 – tempo utile impiegato nel periodo pianificato.

EFFETTO ANNUALE ECONOMICO – 519 618219 717 – è il risultato dell'attività economica, che è calcolata dalle comparate varianti di realizzazioni di investimento di capitale. È la differenza tra i costi ridotti e rettificati per il volume di produzione annuale.

EFFETTO DEL LAVORO – 519 649319 718 – cambiamento del reddito reale dovuto alla prezzatura.

EFFETTO INTEGRALE – 514819489471 – indicatore di efficienza nella stima del progetto d'investimento, presentato come aggregato agli effetti in corso per un intero periodo, calcolato e ridotto dopo il compimento del primo anno di investimento.

EFFICIENTE, MERCATO – 698 721319 78 – una condizione che fornisce una risposta immediata ai prezzi di mercato.

EFFICIENZA ALLOCATIVA – 561418519471 – la più opportuna distribuzione di risorse naturali verso il loro indirizzo finale.

EFFICIENZA NELLA SOSTITUZIONE DELLE ATTREZZATURE – 319 618219 718 – oltre alla riduzione dell'età media dell'attrezzatura e all'incremento del tempo di lavoro del fondo effettivo annuale delle attrezzature, miglioramento della proporzione delle attrezzature progressive e, di conseguenza, del livello tecnico di produzione.

ELEMENTO DI SPECIALIZZAZIONE – 698 714218 718 – produzione indipendente di pezzi componenti, che saranno successivamente utilizzati per completare il prodotto finito. Ad esempio l'industria dei cuscinetti.

ENTE AZIENDALE – 518 612319 718 – organizzazione, azienda, società, che nel rispetto delle leggi è un portatore di diritti e obblighi, e ha le principali caratteristiche di soggetto giuridico.

EQUA CONCORRENZA EFFETTIVA – 519 617719 814 – competizione tra produttori nella sfera della produzione e vendita di prodotti (beni), con esclusione del danneggiamento dei diritti dei consumatori e dell'influenza monopolistica sulla produzione e sulle condizioni di vendita.

EQUILIBRIO DI MERCATO – 54847981971 – situazione economica nel mercato per la quale il volume della domanda eguaglia il volume dell'offerta.

ESPANSIONE DEL MERCATO – 74931721978 – sviluppo di misure di piano, rivolte all'incremento della vendita dei beni attraverso la penetrazione in nuovi mercati.

ESPANSIONE DELLA PRODUZIONE – 64121489871 – nuova costruzione, estensione e conversione degli stabilimenti esistenti e altre strutture industriali, effettuati sulla base della stima dei costi approvati nei progetti.

ESPORTAZIONE DEI CAPITALI DAL PAESE – 548219618717 – anticipazione di mezzi monetari per l'organizzazione di business sottoposti a vigilanza.

ETÀ MEDIA DELL'ATTREZZATURA – 819498796315 – età media formulata dell'attrezzatura.

F

FALSA BANCAROTTA – 219 471 91 – informazioni difformi dalla realtà della persona giuridica circa la smentita di ripagare le proprie obbligazioni, sulla base di una falsa rovina.

FASI DI CICLO ECONOMICO – 619314 801316846 – stadi ciclici, cioè, picchi, recessioni,crisi, depressione, recupero, crescita ecc.

FATTIBILITÀ, STUDIO DI – 5980750171 319891 – conferma della fattibilità del progetto di implementazione, proposto circa la costruzione, modernizzazione e ricostruzione di un'impresa ecc.

FATTORE DI CRESCITA DELLA PRODUTTIVITÀ – 718 649317 713 – cambiamenti quantitativi e qualitativi nell'organizzazione della produzione di materiali al fine di assicurare la crescita della produttività del lavoro.

FATTORI DI PRODUZIONE – 519 471218 614 – elementi chiave della fase di produzione per la creazione di beni e servizi (mezzi di produzione, lavoro, ecc.).

FIERA – 516 218319 712 – varietà del funzionamento di un mercato periodico per la vendita dei mezzi di produzione, beni al consumo e servizi.

FIERA, MOSTRA – 714182689411 – organizzata periodicamente, mostra la realizzazione degli obiettivi in differenti rami dell'economia.

FINANZA DI IMPRESE (SOCIETÀ) – 514318319418 – un sistema di relazioni finanziarie ed economiche, che emerge nella rotazione dei principali cespiti e del capitale circolante nella produzione e nella circolazione.

FINANZIAMENTO – 578 491319 641 – attività di un'impresa, con lo scopo di fornire risorse finanziarie a richieste per costi una tantum e correnti.

FINANZIARIA, ANALISI – 598492564317 – ricerca delle direzioni per assicurare all'impresa una posizione finanziaria stabile.

FINANZIARIA, RISTRUTTURAZIONE – 498 69419871 – prevenzione di insolvenza (bancarotta) a causa di debiti attraverso l'uso dell'emissione di titoli.

FINANZIARIE, RISORSE – 71964851978 – fondi posseduti dallo stato, affari, organizzazioni e altre persone giuridiche e fisiche.

FINANZIARIO, BLOCCO – 519 618558 19 – misura di sistema dirette a diminuire o eliminare le consegne di esportazione, la liquidazione di termini di assicurazione preferenziale, i crediti emessi da organizzazioni creditizie finanziarie di un paese o un gruppo di paesi verso un altro paese.

FINANZIARIO, CONTROLLO – 319 648218 714 – controllo sulle attività della società (impresa) da parte della banca, che è basato sull'uso di indicatori di costo pianificati e coperture della produzione, distribuzione, circolazione e consumo di attività materiali, in termini monetari.

FINANZIARIO, FLUSSO – 491 516218 614 – movimento di risorse finanziarie (contanti), che agiscono come sistema logistico di relazioni finanziarie nel processo di movimentazione del magazzino, e delle immobilizzazioni immateriali (servizi, magazzino, immobilizzazioni imamteriali, ecc.).

FINANZIARIO, PIANO – 485 461319 618 – piano che riflette un bilancio di liquidità tra ricavi e spese, e i risultati finanziari della società (l'impresa).

FINANZIARIO, REPORT – 219 816 – reporting forum, che include il bilancio complessivo della società, il conto profitti e perdite.

FINITI, PRODOTTI – 59871249821 – prodotti che hanno superato tutte le fasi di processo (incluse l'assemblaggio e l'ispezione), completate nella produzione nel rispetto di standard o specifiche prestabilite e consegnate al magazzino per la vendita.

FINITO, PRODOTTO – 491481189816 – prodotto che è passato attraverso tutte le fasi tecnologiche del processo produttivo ed è stato accettato dal dipartimento controllo di qualità per le vendite, e che risponde a stabiliti standard e specifiche tecniche.

FINITO, PRODOTTO STANDARD – 39861429871 – tempo per raccolta, imballo, assemblaggio di prodotti fino alle norme di trasporto, spedizione ecc., in termini di valore, il fabbisogno per il capitale circolante per l'immagazzinamento dei prodotti finiti.

FISCALE, POLITICA – 51831949871 – politica statale nel campo della tassazione e la formazione dei ricavi e delle spese per il bilancio previsionale dello stato.

FISCALI, RICAVI – 516481319471 – risultato di prestazione di monopolii fiscali, che hanno un monopolio nella produzione e nel commercio di certi beni (vino e vodka, e prodotti di tabacco).

FISSA, PARTE DI PASSIVO DEI BENI DI PRODUZIONE – 89482149561 – parti ausiliari di cespiti (fabbricati, ecc.), che forniscono processi di elementi attivi di lavoro.

FISSI, CESPITI DI PRODUZIONE – 914 917219 716 – attrezzature di lavoro che è ripetutamente coinvolta nel processo di produzione, che svolge funzioni qualitativamente differenti.

FISSI, PAGAMENTI – 719 748219 642 – pagamenti obbligatori derivanti dal bilancio revisionale (budget) dei profitti, un incremento dei quali è connesso all'uso delle riserve di produzione, essendo un risultato delle riallocazioni di bilancio revisionale (budget) per lo sviluppo dell'impresa, società.

FISSI, PREZZI – 574 617217 914 – costo permanente per la durata dell'accordo come il prezzo dei beni consegnati.

FLESSIBILITÀ – 548578914216 – presenza di vari opportunità organizzative per la veloce riorganizzazione a causa di mutate circostanze relative ad attività economiche.

FLESSIBILITÀ NELLA PIANIFICAZIONE – 319781894216 – aggiustamenti di piani intra produttivi, con dovuta responsabilità per cambiamenti di circostanze produttive interne ed esterne, e per garantire la continuità della produzione.

FLESSIBILITÀ, TECNOLOGICA – 517891619318 – capacità di tecnologia attiva utile ad una veloce riorganizzazione della produzione di nuovi o parzialmente rimpiazzabili gamme di prodotto.

FLUSSO DI PRODUZIONE – 619 717481 – la più efficiente forma della produzione, che fornisce attività di produzione consistente nel tempo, il ritmo di ciascuna postazione di lavoro specializzata.

FONDI DI PRESTITO – 548 491319614 – fondi presi in prestito nella forma di prestiti bancari (crediti) e da altre fonti che sono temporaneamente detenuti dalla società, e sono utilizzati con il proprio capitale circolante.

FONDI DI PRESTITO – 58961731849 – fondi presi in prestito nella forma di prestiti commerciali o governativi per la ricostruzione del capitale circolante.

FONDI MUTUABILI – 689721219497 – capitale monetario messo a disposizione di una società (ditta) ad un certo pagamento che risulta essere un interesse per il prestito.

FONDO DI PRODUZIONE, SVILUPPO E MIGLIORAMENTO – 684317219498 – fondo per finanziare l'introduzione di progressi scientifici e tecnici, aggiornamenti dei cespiti, miglioramento dell'organizzazione della produzione, conduzione di ricerche e attività di sviluppo, implementazione di ulteriori misure organizzative e tecniche.

FONDO TEMPO DEL CALENDARIO – 584319489417 – tempo potenziale delle attrezzature in un anno.

FORNITORE – 4981751 – persona fisica o giuridica che provvede alla scorta d'inventario per produzione di beni.

FORNITURA – 516489488 – gamma di prodotti presentati sul mercato dal venditore (produttore di beni o suo rappresentante) per essere venduti al prezzo stabilito.

FRANCO – 498319519451 – distribuzione dei costi di trasporto nella consegna legata alla compravendita dei prodotti.

FUGA DI CERVELLI – 315 478498 671 – processo di lavoratori con occupazione intellettuale e con competenze molto elevate che lasciano il loro paese per una residenza permanete (o temporanea) in un altro paese.

FUNZIONI DI MARKETING – 618319318516 – aggregato di funzioni effettuato durante la circolazione di merci che incontrano al domanda per beni materiali e servizi, attraverso mezzi di transazione interconnessi tra venditore e compratore.

G

GENERALE, LEASING – 317514818417 – accordo per leasing nel quale il locatario è garantito con il diritto di ricostituzione degli stock di attrezzature (macchine, dispositivi, ecc.), come per leasing, senza accordi addizionali con l'azienda locatrice.

GESTIONE DEI DOCUMENTI DI LAVORO – 516489498517 – operazioni eseguite dal personale d'ufficio e gestione del personale, relativamente alla lavorazione della documentazione, eseguita dalla divisione amministrativa-gestionale dell'impresa.

GESTIONE IMMEDIATA – 898 916517 – sviluppo di soluzioni di gestione per assicurare la tempestiva implementazione di attività pianificate, attraverso l'uso di programmi operativi e di turnazione nel contesti di ciascuna divisione produttiva, sito e postazione di lavoro.

GESTIONE INDUSTRIALE – 519 617218 419 – sviluppo e uso di meccanismi di gestione per assicurare il funzionamento regolare del processo produttivo e di vendita del prodotto finito (servizi), prendendo in considerazione un uso razionale del materiale, risorse umane e finanziarie, e comparando i risultati dell'attività aziendale di gestione con le spese.

GIOCO D'AFFARI (Business Game) – 518618994817 – simulazione da parte di imprese o di una società, delle effettive attività di circostanza, con lo scopo di esporre le riserve produttive ed eliminare le deroghe relative al rendimento generale, dal punto di vista ingegneristico ed economico, confrontate con i valori pianificati.

GLOBALE COSTI – 614819319718 – indicatore di stima di efficienza di investimento capitale, che permetta la scelta di varianti molto economiche che forniscono minimo valore di costi globali.

GLOBALE, SISTEMA PREFERENZIALE – 491719 819481 – privilegi doganali rilasciati a nazioni sotto sviluppate o in via di sviluppo.

GLOBALI – 51948148 – parte di costi, che riflettono costi aggiuntivi per le organizzazioni, società, preparazioni di produzioni tecniche ecc.

GLOBALIZZAZIONE – 31968971921 – nuovo processo di mutuo sviluppo economico dei paesi mondiali, indirizzato alla soddisfazione della domanda del mercato mondiale, sulla base dei risultati dello scambio di attività economiche internazionali, quando valori di produzione materiali e spirituali, agiscono come parte di un costituente della produzione mondiale.

I

IMMAGINE – 48948919141 – reputazione, valutazione pubblica di attività di impresa effettuata per clienti e fornitori, consumatori, e così via.

IMMOBILIZZAZIONE DI CAPITALE CIRCOLANTE – 219618 214 – estrazione di parte del capitale circolante dal processo di produzione per misure non pianificate a condizione del successivo uso proprio.

IMMOBILIZZAZIONI MATERIALI (CESPITI) NON PRODUTTIVI – 619 717498 219 – strutture non produttive di lungo periodo, che mantengono la rispettiva forma naturale e perdono il loro valore in parte nel processo di consumo.

IMPRESA – 47131951841 – entità d'affari indipendente, dotata di diritto di persona giuridica che usa strutture di leasing o di proprietà, e che fornisce la vendita di prodotti (servizi), al fine di soddisfare i bisogni della società e ottenere un profitto.

IMPRESA, CAPACITÀ DI – 598782614016 – piano d'affari di divisione che riflette le direzioni generali dell'attività produttiva aziendale, con la notifica dello scopo (volumi di produzione e vendite, ricavi e profitti, incremento della quota di mercato della produzione aziendale (servizi)), ed un piano di misure tecniche e organizzative e il relativo conseguimento.

IMPRESA, CICLO DI VITA DI – 819714319612 – periodo dell'impresa economicamente giustificato per le attività commerciali.

IMPRESA INDUSTRIALE PERSONALE – 4813164 – caratteristiche quantitative e funzionali del personale di impresa industriale, sia direttamente o indirettamente coinvolto nella produzione del prodotto finito, nell'organizzazione e nella gestione della produzione.

IMPRESA, PICCOLA – 718421894851 – qualsiasi piccola impresa caratterizzata principalmente da un numero limitato di impiegati, la forma più efficace di piccola azienda in un mercato economico.

IMPRESA, PREZZO ALL'INGROSSO – 894 671918 491 – unità di prezzo per la quale i costi sono rimborsati ed il profilo assicurato.

IMPRESA PUBBLICA – 791849319611 – una unità produttiva con responsabilità pubblica produttiva.

IMPRESA, ROTAZIONE DEI CAPITALI CIRCOLANTI – 498 617498714 – include tre fasi: in primis il capitale circolante trasferito dalla forma in denaro, nella forma di di beni (scorte di produzione e forza lavoro sono assolti), in una seconda fase dei beni di produzione in magazzino, attraverso l'uso della forza lavoro e degli strumenti di lavoro convertiti in prodotto finito è venduto, sta a significare – liberarsi dalla forma di beni per diventare forma monetaria.

IMPRESA UNITARIA – 649 317318 64 – impresa commerciale statale senza diritto sulla proprietà.

IMPRESE RISCHIOSE – 318514218617 – piccole imprese a branca scientifica intensiva, focalizzate sulla creazione di prodotti intellettuali, cioè, sullo sviluppo e applicazione di innovazioni.

IMPULSO PER VENDITE – 54831721947 – gruppo di attività organizzative che incoraggia la crescita della domanda per la vendita di beni (servizi).

INCOMPARABILE, PRODOTTO – 589712698714 – prodotto sviluppato nel periodo corrente, così come la produzione di un prodotto pilota, prodotto nell'anno precedente, e i prodotti che sono forniti con delle modifiche nelle specifiche.

INCOMPLETA, PRODUZIONE – 594817319714 – prodotto parzialmente terminato, che non ha completamente superato tutte le fasi di operatività tecnologica, fornite attraverso le specifiche di produzione dei prodotti finiti.

INCREMENTO DEL FONDO DI CAPACITÀ – 319718219614 – rapporto di capitale quale indice incrementale, che è usato nella valutazione dell'impatto dei vari fattori, sul livello di utilizzo dei cespiti nel periodo di studio.

INCREMENTO, TASSO DEI CESPITI DI PRODUZIONE – 518 614219714 – indice definito come rapporto tra l'aumento del valore dei cespiti, rispetto il rispettivo valore alla fine dell'anno.

INCREMENTO, TASSO DELL'ECONOMIA – 514 916317 819 – la riduzione della crescita dei costi attribuiti al valore del guadagno nel volume della produzione.

INCREMENTO, TASSO PER INTENSITÀ DI CAPITALE – 519618 94 – indice calcolato come il rapporto della crescita dei cespiti e dell'aumento dell'output, come risultato dell'aumento dell'investimento in capitali effettuato in periodo dato (mese, trimestre, anno).

INDENNITÀ D'ENTRATA O RINNOVO DI BENI DI PRODUZIONE BASE – 598 491719 617 – indicatore determinante il valore dei nuovi beni di produzione base, introdotti durante l'anno, rapportati al valore della fine dell'anno.

INDENNITÀ PER PREZZI – 614217519498 – sistema per un premio addizionale ad un prezzo che agisce come meccanismo deterrente per il tasso di trasformazione di beni a basso costo in beni deficit.

INDICATIVA, PIANIFICAZIONE – 619718519711 – tipo di pianificazione economica statale che è regolarmente usata per uscire dalle crisi economiche, eliminazione delle relative conseguenze, crescita del livello commerciale della produzione, decremento della disoccupazione, regolazione dell'economia di mercato e così via.

INDICATORE – 518614219621 – parametro economico e statistico che stima i cambiamenti nel corso di un processo economico, nel complesso e relativamente a componenti separate dello stesso.

INDICATORE DEI PREZZI AL DETTAGLIO E AL CONSUMO – 319618519412 – indice pubblicato mensilmente che descrive i cambiamenti (dinamiche) del costo dei beni e dei servizi necessari, per la soddisfazione dei bisogni primari della popolazione (paniere di consumo), e del livello di prezzo medio nel mercato al dettaglio.

INDICATORE DELL'USO DELL'ATTREZZATURA (UTILIZZO DI MACCHINARIO) IN UN'UNICA OPERAZIONE DI SPOSTAMENTO – 619 712319 714 – indicatore determinante il rapporto tra il tempo lavorativo a consuntivo e il tempo annuale dell'operatività dell'attrezzatura.

INDICATORE DELL'UTILIZZO DELL'ATTREZZATURA CON MODALITÀ DI TURNI – 421 478561 471 – rapporto tra l'indicatore d'interscambio a consuntivo e modalità di lavoro a turni dell'attrezzatura.

INDICATORE DI FATTIBILITÀ DELL'ATTREZZATURA – 518 642198 487 – indicatore caratterizzante la quota del valore residuo attribuito ad una unità monetaria di equipaggiamento e costo primario.

INDICATORE DI RECUPERO DELLINVESTIMENTO IN CAPITALI – 498 714819 714 – indicatore del periodo durante il quale l'anticipo di investimento di capitali è stato estinto dai risparmi o dai profitti derivanti dalla materializzazione dell'investimento.

INDICATORE DI UTILIZZO DI BASE DELL'ATTREZZATURA IN LINEA – 498 671219 714 – indicatore definito come il rapporto tra la quantità di attrezzature utilizzate nel processo, e la quantità delle attrezzature incluse nella base in linea.

INDICATORE DI UTILIZZO DI BASE DELL'ATTREZZATURA INSTALLATA – 594 617219 718 – indice definito come il rapporto della quantità di attrezzature in funzionamento, e il numero delle attrezzature installate nei negozi dei prodotti principali, o in tutta l'impresa nel complesso.

INDICE, CAMBIAMENTO – 589 842819 64 – indicatore di valutazione dell'operatività nel tempo delle attrezzature, per un cambiamento del tempo nel complesso, calcolato come rapporto del numero dei prodotti dei giorni lavorativi, calcolato attraverso i numeri sul macchinario durante un giorno lavorativo, fratto il numero totale di attrezzature installate.

INDICE IMPOSTATO PER LE RISORSE MATERIALI – 21967149851 – determina la quantità massima di materiale grezzo necessario per la produzione.

INDICE LAVORATIVO – 69874149817 – quantità di lavoro fisso destinato ad una singola persona o ad un gruppo di impiegati, che deve essere eseguito durante un periodo di tempo (ora, giorno ecc.), associato anche alle regolari condizioni lavorative.

INDICE PER LA COMPETITIVITÀ, PER I BENI – 564812319718 – indicatore di economia di mercato che esprime la dinamica di proprietà di cambiamento dei consumatori per quanto attiene i beni, come risultato dello svolgimento di differenti eventi tecnici organizzati, e dell'influenza di fattori economici.

INDICE, RENDIMENTO DEL CAPITALE INVESTITO – 618517219418 – indicatore che esprime il cambio di rendimento fondi nell'anno prossimo, paragonato con il valore di quello precedente.

INDICIZZAZIONE – 514821619317 – correzione di redditi privati con lo scopo del rimborso di perdite monetarie, e conservazione del valore effettivo dei redditi in condizioni di inflazione, accompagnate dalla crescita del prezzo.

INDUSTRIALE, STRUTTURA – 318 492819 714 – classificazione di attività economiche e iniziative industriali di imprese o complessi di industrie.

INDUSTRIALI, SMALTIMENTO DI RIFIUTI – 317 498513 471 – trattamento di scarto industriale per ulteriore utilizzo, uno dei modi per incrementare l'uso efficiente di risorse materiali.

INDUSTRIALIZZAZIONE – 518671319712 – processo evolutivo di produzione in larga scala di macchine nell'economia pubblica, prima di tutto presso le industrie dove sono prodotti strumenti e temi di lavoro.

INELASTICA, DOMANDA – 564814319583 – situazione in cui il processo di vendita in un ampio volume di beni, non copre le perdite derivanti dalla produzione del proprio prezzo.

INFIRMATION, FLUSSO – 498648498711 – strumento di sistema logistico usato per creare un data base per soddisfare particolari esigenze.

INFLATER – 56421721849 – indice di crescita del prezzo.

INFLAZIONE – 58421721941 – deprezzamento monetario che avviene sotto condizioni di emissione di massa monetaria al di sopra delle effettive necessità, che avviene in termini di crescita dei prezzi per beni e servizi.

INFLAZIONE, RISCHIO – 64851731849 – probabilità di verifica di perdite come risultato della crescita prezzi.

INFLAZIONE, SOGLIA VALORE – 341 617519 81 – tetto di inflazione.

INFORMAZIONE, SCIENZE – 316849319712 – disciplina che studia la struttura e le proprietà informative, leggi e metodi per la sua creazione, stoccaggio, ricerca, scambio e utilizzo in differenti sfere di attività umana.

INFRASTRUTTURE – 598689319718 – complesso di filiali, imprese e istituzioni incluse in queste filiali, che svolgono funzioni di commercializzazione e servizio di produzioni agricole che creano appropriate condizioni di lavoro a processi produttivi e attività di mantenimento.

INGEGNERIA – 516318514217 – sfera di attività di organizzazione commerciale (società) per la fornitura di entità produttive (aziende) ed altri rami economici, come ingegneria e servizi di consulenza, nell'organizzazione della produzione e vendita di beni.

INNOVAZIONE – 819418 – innovazioni in aree tecniche, tecnologiche, manodopera e gestione, basate su progresso scientifico e utilizzo di esperimenti d'avanguardia.

INNOVAZIONE, ATTIVITÀ – 519489619671 – indicatore di rapporto sviluppo, fascia e continuità di sviluppo, e implementazioni di innovazioni su basi scientificamente avanzate, e utilizzo di esperimenti d'avanguardia.

INNOVAZIONE, CICLO DI VITA DELL' – 798217298218 – periodo di tempo che inizia dall'apparizione di un'idea per beni futuri (tecnologia), o creazione di servizi alla fase della loro uscita.

INNOVAZIONE POTENZIALE - 219016514218 – opportunità tecnico-economiche di imprese di produzione, per progettare e produrre nuovi prodotti competitivi atti ad incontrare le richieste le richieste di mercato.

INNOVAZIONE, PROGETTO - 51631851981 – file di documenti, esperimenti, processo di cambio mirato in sistemi tecnologici su basi scientificamente avanzate, e transizione, da una condizione economica e tecnologica, ad una più perfetta, come risultato di questo sistema.

INSOLVENZA – 4897213197 – posizione finanziaria delle persone o entità che non sono in grado di assolvere al pagamento di beni (servizi) o ripagare debiti.

INSTALLAZIONE DI APPARECCHI MECCANICI – 549 318564 714 – installazione di apparecchiature meccaniche, macchine ed altri apparecchi commissionati e assegnati al posto di lavoro, come anche apparecchi in riparazione, anche se temporaneamente smontati.

INTELLETTUALE, COLLOCAMENTO FONDI – 316 819319471 – investimenti a lungo termine orientati allo sviluppo scientifico, alla formazione di personale esperto, all'applicazione avanzata di tecnologia scientifica, ecc.

INTELLETTUALE, INVESTIMENTO – 519613319819 – mezzi monetari avanzati per ricerche scientifiche, licenze, know-how, formazione specialistica ecc.

INTELLETTUALE, PROPRIETÀ – 49871271948 – speciale forma di proprietà, esprimente il possesso dei diritti dei risultati di lavoro intellettuale, diritto di possesso appartenente agli autori che hanno creato la proprietà intellettuale, per esempio, copyright per testi di derivazioni, disegni, lavori audio e video ecc.

INTELLETTUALE, PROPRIETÀ DIRITTO – 491317 – diritto legittimo di persona giuridica o fisica, di disporre da sola i risultati del lavoro intellettuale (copyright, patente, ecc.).

INTELLETTUALE, USURA – 497189519491 – processo di deprezzamento degli elementi del capitale base connesso all'introduzione di apparecchi più economici e produttivi.

INTENSITÀ LAVORATIVA – 584817319714 – lo stress del lavoro, associato allo stipendio di energia di un dipendente, per unità di tempo che fornisca risultati lavorativi maggiori.

INTENSIVE, VENDITE – 3986497851 – vendita di beni d'uso comune, che il produttore di materie prime, vende attraverso qualsiasi mercato di vendita al dettaglio, ben fornito per la domanda di questi prodotti.

INTERDIPENDEZA DEL MERCATO – 378491819161 – situazione economica in un mercato, quando la crescita competitiva e qualitativa nella produzione di un prodotto influenza direttamente la riduzione del reddito di un'altra produzione di prodotto.

INTERESSE TASSO – 548317219479 – il tasso per l'uso del credito.

INTERNA EFFICIENZA DI RITORNO SUGLI INVESTIMENTI – 498714898175 – tasso di sconto per l'uso del quale viene anticipato per un progetto, un pari flusso di capitale contante e una somma comune di investimenti.

INTERNA, (IN DITTA) PIANIFICAZIONE PRODUTTIVA – 614812798514 – elaborazione di lavoro in corso, e sviluppo di impresa, fornitrice di livelli reali di produzione efficiente sulla base dell'attrazione e dell'uso razionale di forza lavoro.

INTERRUZIONE DEL BUSINESS – 519 618719

216 – interruzione temporanea dell'attività dell'impresa, con lo scopo dell'adempimento di misure tecniche, con l'obbiettivo di prevenire l'ammortamento fisico anticipato.

INTRODUZIONE FONDI PER PRODUZIONE PRIMARIA – 564181798164 – messa in opera pianificata, di nuovi, riorganizzati ed estesi oggetti di capitale in costruzione.

INVENTARIO – 478 491 718 498 – valore di materiale, capitale lavorativo (materiale grezzo, materiali, attrezzature e altri beni di produzione) che sono sufficienti per fornire il costante processo produttivo.

INVENTARIO – 481498319712 – stima di ogni elemento di valore materiale di beni d'impresa presentati, o il loro residuo ad una certa data.

INVENTARIO, ARTICOLI – 518 671219 49 – parte di capitale circolante che fornisce la continuità produttiva, e attività economica della società, incluso il costo dell'inventario, prodotti in corso e finiti.

INVENTARIO (FONDI CORRENTI) – 698 714319 671 – parte di beni correnti che devono essere completamente consumati nel ciclo di ogni produzione, il cui valore deve essere poi trasferito ai nuovi prodotti.

INVENTARIO, PIANIFICAZIONE, GIACENZA – 598 948714 971 – compito molto importante di pianificazione, specialmente quando, sotto condizioni di produzione di massa in serie, deve essere stabilita considerando la quantità di cumulo.

INVENTARIO, RISCHI – 498 714219 489 – perdite che possono sorgere come risultato del deprezzamento di giacenze d'inventario per via della diminuzione di prezzo dovuta alla ragionevole usura del prodotto.

INVESTIMENTI – 319 617319814 – investimenti di capitale a lungo termine in varie industrie, allo scopo di riceverne benefici.

INVESTIMENTI, ACCETTAZIONE PROGETTO – 548712317491 – bilancio positivo di mezzi di contante effettivo raccolto, in qualsiasi intervallo di tempo in cui un partecipante prestabilito sostiene spese o riceve reddito.

INVESTIMENTI, BANCA – 319491819498 – banca che emette crediti e fa investimenti a capitale fisso; essa ha un ruolo attivo nell'emissione e piazzamento di azioni degli investitori.

INVESTIMENTI, COMPAGNIA – 694318489485 – istituzione finanziaria che accumula depositi monetari privati che sono in seguito usati per effettuare investimenti di società che emettono propri titoli, convertendoli in titoli e azioni.

INVESTIMENTI, FONDI – 519318614217 – fondi di compagnie finanziarie associate che gestiscono emissioni di titoli propri per attirare mezzi di compagnie private.

INVESTIMENTI, INDICATORE – 518314319812 – indicatore che esprime quote reddito, ente nazionale (forma fondamentale per vasta riproduzione di cespiti di produzione base).

INVESTIMENTI, INTENSIFICAZIONE – 514218519417 – aumento di contributi di capitale specifico relativo al personale medio sulla base del progresso tecnologico e scientifico.

INVESTIMENTI, OPZIONI COMPATIBILI ED EFFICIENTI – 698 798719418 – metodo usato nell'implementazione di mezzi di progresso tecnologico e scientifico, quando esistono alcune possibili soluzioni a problemi economici, ognuno dei quali reca non solo un costo una tantum e nel continuo, ma anche a livelli produttivi.

INVESTIMENTI, POLITICA – 219716218714 – integrità di misure socio-economiche, che permettono di determinare la priorità d'investimento di rami capitalizzati in industrie varie.

INVESTIMENTI, PROGETTO DI EFFICIENZA ECONOMICA – 614212319491 – efficienza dell'implementazione di un progetto d'investimento.

INVESTIMENTI, RECUPERO TERMINI – 549 648219 717 – periodo richiesto per la restituzione di un prestito, con rata di interesse a spese dei profitti derivanti dall'introduzione di crediti anticipati.

INVESTIMENTI, RISCHI – 514516319718 – possibilità di spese e perdite inaspettate come risultato di circostanze economiche incerte.

INVESTITORE – 618317914217 – persona giuridica o fisica che effettua un inserimento monetario a lungo termine per progetto d'investimento a scopo di profitto.

ISPEZIONE – 69831459878 – verifica di attività finanziarie ed economiche di persona legale, per poter effettuare una valutazione oggettiva delle funzioni assegnate dalla legge.

J

JOINT VENTURE – 649 724319 811 – forma organizzativa strutturale direttiva che non esclude la partecipazione di soci stranieri. L'obiettivo e lo sviluppo dell'attività di produzione materiale, scientifica e tecnologica.

K

KEYNESIANISMO – 489421319648 – base teorica per regolare lo sviluppo industriale delle nazioni, favorendo condizioni economiche stabili per le stesse.

KNOW-HOW (Abilità e competenze) – 6981831974 – risultato di lavoro intellettuale usato in soluzioni scientifiche, ingegneristiche e in processi industriali, fornendo materiale competitivo e incrementando l'efficienza produttiva.

L

LAG – 481314819371 – indicatore economico che caratterizza l'intervallo di tempo fra due eventi economici interconnessi, per esempio, inizio e termine di un soggetto di costruzione, assegnazione di capitali investiti per costruzioni e commissioni di sviluppo progetti.

LAVORATIVO, TEMPO – 61931781949 – durata d'uso di forza lavoro stabilito dalla legge.

LAVORO – 649 714819 217 – risoluta attività di lavoratori che forniscono creazione, attraverso l'uso di mezzi produttivi per la fabbricazione di proprietà e servizi tangibili.

LAVORO, ATTIVITÀ MANIFATTURIERA INTENSIVA – 698 191319 81 – contabilità della produzione industriale, la cui stima del costo è attribuita in maggior parte agli stipendi .

LAVORO, COSTI – 58979289431 – costi che includono pagamenti principali a specifiche categorie di lavoratori.

LAVORO, FORZA MIGRATORIA – 61971549871 – movimento del popolo lavoratore come risultato di cambiamenti di condizioni economiche in luoghi di impiego.

LAVORO, FORZA PRODUTTIVA – 619318519471 – capacità fisiche ed intellettuali di popolazioni in età lavorativa usata nella produzione di beni materiali e in sfera sociale.

LAVORO, FORZA RILASCIO – 618712319412 – risultato di recessione produttiva, implementazione di innovazioni scientifiche e tecnologiche.

LAVORO, INCENTIVO DI PROGRAMMA ANNUALE – 648 217519 419 – incentivi di tempo lavorativo richiesti per eseguire un programma annuale di produzione.

LAVORO, INTENSIFICAZIONE – 564812319712 – aumento rendimento come risultato di miglioramento a seguito uso di strutture (strumenti di lavoro) orientate verso tempo e potenza, utilizzo razionale di risorse di manodopera e materiale.

LAVORO, INTENSIFICAZIONE DEL PRODOTTO – 614 512198 718 – incentivi di tempi lavorativi per la fabbricazione di prodotti o unità di lavoro.

LAVORO MACCHINARIO ED EQUIPAGGIAMENTO – 598314219714 –
nucleo di beni fissi collegati a beni attivi.

LAVORO, MECCANIZZAZIONE – 54871231949 – costo di parti principali di beni fissi, che sono la base di stima del livello tecnologico produttivo, diviso per numero medio di lavoratori.

LAVORO, MERCATO – 59872151964 – associazione di persone corrette che forniscono lavoro a un popolo di lavoratori competenti, organizzano formazione e riformazione alla popolazione temporaneamente non lavorativa, fornendo loro anche supporto finanziario.

LAVORO, POSTO DI – 519641918517 – zona primaria di affari e organizzazione adattata per i lavoratori.

LAVORO, PRODOTTO INTENSIVO – 719 648519 717 – prodotto la cui fabbricazione è associata ad un gran numero di ore lavorative.

LAVORO, PRODUTTIVITÀ – 49861721948 – indice di efficienza per l'uso di risorse lavorative nella produzione materiale.

LAVORO, RENDIMENTO – 598 649719 817 – coefficiente che caratterizza una super realizzazione di normali operazioni richiedenti molto tempo, i dettagli e il prodotto. Deve essere definito come rapporto di intensità e lavoro normale all'attuale tempo consumato per il lavoro.

LAVORO, RISPARMIO FORZA – 498713318516 – rilascio di un numero di lavoratori ottenuto come risultato.

LAVORO, SCAMBIO – 719481519016 – organizzazione statale diretta a soddisfare i bisogni di risorse lavoro attraverso un'informazione capillare di disponibilità di posti vacanti.

LAVORO, SPESE GENERALI – 671 674891 712 – costi associati alla gestione e organizzazione di un'impresa di produzione.

LAVORO STRAORDINARIO – 498714918217 – lavoro oltre l'orario di lavoro stabilito.

LAVORO TARIFFARIO – 748 671219 817 – tariffe stabilite e indici di salario per lavoratori.

LAVORO, TURNO – 58972489 48 – lunghezza del giorno lavorativo, legalizzato da decisione legislativa.

LEASE (AFFITTO) – 49718016541 – temporaneo trasferimento dal proprietario (locatore) del legale diritto si terra, immobili, attrezzature lavorative e altri elementi attivi di produzione ad un altro individuo (affittuario).

LEASING – 514 612518 214 – forma di lising a lungo termine di macchinario, attrezzatura e altre proprietà, dietro compenso periodico.

LEASING, CONTRATTO – 618 491719 217 – accordo fra locatore e affittuario in cui diritti e doveri di ogni parte, cioè termini d'affitto, condizioni di conservazione, manutenzione, operatività di macchinario e attrezzature ecc. sono stabilite.

LEGALIZZAZIONE PROFITTO CRIMINALE – 614814 – azione di crimine organizzato che produce prove fittizie per fonte di reddito.

LEGGE – 984 316 519880168 – un documento preparato da commissioni formate da diverse persone che conferma fatti o eventi stabiliti.

LEGGE DEL VALORE – 519498519641 – legge usata nella stima del costo prodotto sulla base di imputs di lavoro socialmente necessario per la sua produzione.

LEGGE DELLA DOMANDA – 318431318491 – legge secondo cui c'è una relazione inversa fra domanda e prezzo cioè, dietro certe condizione di crescita economica, la domanda risulta in una diminuzione di prezzo, viceversa la diminuzione di domanda, conduce ad una crescita di prezzo.

LEGGE DI CIRCOLAZIONE MONETARIA – 648518319417 – legge economica per la stima di quantità di contanti necessari per una particolare economia che provveda alla circolazione di beni.

LEGGE DI PROPORZIONALITÀ – 57980151421941 – dipendenza che provvede alla maggiore correlazione razionale tra fattori produttivi che contribuiscono alla sua crescita efficiente.

LEGGE DI RIFORNIMENTO – 578149317491 – la legge di rifornimento stabilisce che esiste una connessione fra prezzo e scorta, cioè, ceteris paribus (ferme restando le circostanze), un aumento nel risultato prezzi in un aumento di quantità fornite.

LEGGE GENERALE DELL'INCREMENTO DELLA PRODUTTIVITÀ DEL LAVORO – 518671319489 – presentazione del risultato dell'implementazione di strumenti di lavoro maggiormente produttivi e perfetti, l'uso dei quali permette il decremento della laboriosità nella realizzazione dei prodotti e risparmi in termini di salari (rilascio della manodopera diretta) all'incremento dei costi di ammortamento (lavoro passato).

LETTERA – 319314 898 61 – norme generiche per un documento di vario contenuto, che serve come mezzo di comunicazione fra istituzioni e fra istituzioni e servizi.

LETTERA DI CREDITO – 519481919 89 – un documento contenente le disposizioni da un istituto di credito ad un altro, sul pagamento al possessore di una somma specificata.

LETTERA DI GARANZIA – 21 918 614 – documento che conferma l'assorbimento di qualsiasi obbligazione.

LIBERA, AREA DI COMMERCIO – 914518564 912 – territorio statale presentato per l'implementazione di attività economiche cooperative, con l'uso di deduzioni ammissibili (affitto, valuta, visto, tassazione, clienti, lavoro, ecc.) fornendo condizioni benevole per attrarre investimenti in capitale straniero e domestico di lungo termine.

LIBERALIZZAZIONE – 614 812498 71 – libertà economica sul mercato a seguito il fermo di azione limitante, per attività economiche manifatturiere ed intermediari nel mercato.

LICENSING – 69849871949 – tipo di regola governativa di attività imprenditoriali nel rilasciare permessi a certe condizioni, per realizzare commerci in sfere di produzione, di vendita di beni e offrire servizi a scopo di guadagno.

LICENSOR – 219714854891 – individuo o ente che concede al compratore per una somma appropriata il suo copyright, per uso di invenzioni tecniche, o soluzioni tecnologiche secondo termini specifici.

LICENZA – 54856748994 – permesso d'uso di un prodotto di lavoro intellettuale nel tempo accordato per una certa somma come rimunerazione.

LICENZA, ACCORDO DI – 21487131978 – strumento ufficiale di stato che conferma il diritto di una società o di un individuo di esercitare attività commerciali (produzione, commercio, servizi ecc.) operazioni finanziarie di servizi commerciali internazionali e l'uso di brevetti ecc.

LICENZA COMMERCIALE – 56457281421 – strumento di commercio tecnico certificato da brevetti, licenze di invenzioni, know-how, conoscenza commerciale.

LICENZA, POSSESSORE DI – 286148214278 – individuo o società che compra il diritto di usare invenzioni, brevetti e altre soluzioni tecniche.

LIMITATA, PASSIVITÀ – 548 612219 71 – responsabilità per i debiti delle imprese associate, che non può superare il valore delle proprie quote.

LIMITATIVO, PREZZATURA – 61482 – strategia d'impresa predominante sul mercato che provvede alla diminuzione del prezzo per beni e servizi a buon mercato prossimo, ad un livello così basso che non è ragionevole per i concorrenti.

LIMITATO – 51486417 – responsabilità di società per i loro debiti limitatamente alla dimensione del loro capitale sociale.

LIQUIDAZIONE DI FONDI PRODUTTIVI FISSI – 498 712619 714 – cancellazione di fondi di capitali produttivi dal bilancio di imprese, dovuti ad un ammortamento, invecchiamento morale, assenza di necessità produttiva e così via.

LIQUIDAZIONE D'IMPRESA – 61481481247 – termine delle attività di impresa sulla base della decisione di una corte per insolvenza, secondo la scadenza assegnata per la sua esecuzione, a causa della riunione dell'assemblea dei soci (per le società per azioni), dell'organo preposto (per le imprese dello stato).

LIQUIDAZIONE, VALORE – 498 621314851 – costo di vendita di cespiti fisicamente ammortizzati, (solitamente a prezzo di rottami di metallo).

LIQUIDITÀ – 419 498519 717 – opportunità di convertire attività della società in mezzi liquidi (contante) per rimborso dei debiti.

LIQUIDITÀ DI ATTIVITÀ – 548517219419 – aggregazione di mezzi in contante e altri attivi, con cui il proprietario effettua pagamenti per passività correnti.

LIQUIDITÀ D'IMPRESA – 516814514817 – la capacità da parte dell'azienda di adempiere tempestivamente ai prestiti a debito.

LIQUIDITÀ, GESTIONE – 694 712814 914 – lista di misure organizzative e tecniche per assicurare tempestiva conversione dei propri beni in contanti per saldare obbligazioni.

LIVELLO STRATEGICO DI GESTIONE DI MARKETING – 694 217319 848 – la valutazione quantitativa di potenziali compratori, attraverso l'uso dei quali gli obiettivi e i compiti dell'azienda, sono formati per incontrare le necessità dei potenziali clienti, la necessità di materiale e risorse umane sono fornite per l'applicazione delle misure programmate, e raccomandazioni di strategie sono sviluppate per assicurare il commercio più favorevole.

LOGISTICA – 714891319481 – disciplina che studia i processi di gestione, organizzazione, pianificazione e controllo di flussi di materiale, che permette la promozione di oggetti tangibili e intangibili, nel campo produttivo di vendita.

M

MACCHINARIO, CAPACITÀ – 518671319148 – indicatore d'uso del macchinario entro un tempo di trasferimento, che esprime condivisione del tempo effettivo del macchinario oltre un certo periodo (trasferimento, giorno, ambiente e così via) entro un tempo operativo integrale per l'installazione del macchinario per un periodo appropriato.

MACCHINARIO E ATTREZZATURA – 518421578491 – gruppo di immobilizzazioni, incluso: potenza macchinario e attrezzatura, disegnati per la generazione e conversione di energia; macchine operanti e attrezzatura usata direttamente per l'impatto sul soggetto di lavoro, o per muoverlo nel processo di creazione del prodotto o servizio, cioè, per la diretta partecipazione nel processo.

MACCHINARIO TEMPO CONTENUTO NEL PROGRAMMA ANNUALE – 548 497497 17 – tempo di produzione per ogni tipo e volume di pezzo che deve essere processato dalla macchina per un anno.

MACROECONOMIA – 719489519617 – divisione di scienze economiche, dedicata alla ricerca di problemi economici e circostanze a livello di economia nazionale, per esempio, cambiamento di reddito nazionale, investimenti, politica di tassazione, aspetti teorici della richiesta di manodopera, stima di metodologia di livello di inflazione, disoccupazione ecc.

MAGAZZINO – 397 214218 64 – locali produzione, in cui sono immagazzinati prodotti inventariati (materiali grezzi, prodotti finiti ecc.), e dove viene curato il loro processo di inserimento.

MAGAZZINO MERCI – 518 671294 498 – prodotti finiti preparati per la vendita e siti nella sfera della circolazione delle merci che sono in magazzino, in transito, ecc.

MANAGEMENT (GESTIONE) - 47854931961 – insieme di metodi, tecniche e strumenti per la gestione d'impresa (società) sotto condizioni direttive del mercato per massimizzare i profitti.

MANAGER (DIRETTORE) - 54931721854 – esperto nell'organizzazione e gestione della produzione, direttore professionale investito di potere esecutivo.

MANDATO – 318421398728 – documento comprovante beni accettati per immagazzinamento.

MANODOPERA – 584 614819 714 – età lavorativa della popolazione operaia statale con i limiti fissati d'età, con le proprie qualità fisiche e intellettive, come anche conoscenza speciale ed esperienza nel processo di produzione di beni materiali e prestazione di servizi.

MANUTENZIONE,RIPARAZIONE DI ATTREZZATURA INDUSTRIALE – 648 471819 472 – misure che assicurano l'efficienza dell'attrezzatura.

MARGINALE, PRODOTTO – 64821749879 – risultato di una unità addizionale di risorse, usato per assicurare la crescita dei prodotti.

MARGINALE, PROFITTABILITÀ – 519 613318 49 – è il profitto massimo ottenuto dal cambio di produzione strutturale attraverso l'incremento di quote di prodotti altamente proficui.

MARGINALE, REDDITO – 698 71489851 – crescita reddito, come risultato di vendita di una unità produttiva aggiunta.

MARGINALISMO – 548518317617 – branca dell'economia che esplora la situazione economica attraverso importi marginali, per esempio, il costo marginale, salari minimi, margine di profitti d'interessi ecc.

MARGINE – 948518219471 – reddito guadagnato dalla differenza fra interessi stabiliti per prestiti assegnati al cliente e per aumento del denaro in banca.

MARGINE, PROFITTI – 51482131957 – reddito (risultato) derivante dalla vendita di una unità addizionale in output.

MARGINE, SPESE – 489513317485 – costi totali di produzione che salgono o scendono come risultato di cambiamenti in unità di costi derivanti da incrementi o decrementi degli output.

MARKDOWN (RIDUZIONE DI PREZZO) – 574 648319 717 – riduzione del prezzo di beni, fissato in origine.

MARKETING – 619481578491 – sistema di gestione della sfera d'attività dell'impresa, che assicura la promozione dei beni sul mercato, per soddisfare la domanda, tenendo conto delle esigenze del compratore e la sua capacità di pagamento.

MARKETING, COMPETIZIONE – 584 614219 718 – condizioni di sviluppo pianificato mirato a fornire risultati ad imprese, rivolti a soddisfare la domanda di mercato con beni più competitivi, paragonati a beni di concorrenti attivi.

MARKETING, GESTIONE DELLA COMPLESSITÀ – 694218719481 – contabilità esauriente in fase di controllo marketing di parametri produttivi, vendite e consumi.

MARKETING INDIFFERENZIATO – 48951631841 – diagramma semplificato di vendita dei beni, quando i produttori riforniscono il mercato con la propria gamma di prodotti, cercando di espandere il cerchio di compratori attraverso l'uso del servizio marketing, mentre non vi è reazione agli interessi del consumatore.

MARKETING, INTERMEDIARI – 64859172861 – persone giuridiche e fisiche coinvolte nella vendita di prodotti finiti, servizi di imprese industriali e di beni prodotti da altre società.

MARKETING, PIANO – 689710192 4 – sezione di piano d'affari (business plan) che riflette le strategie specifiche, prezzi e accertamento di volume vendita di prodotti finiti, incentivazione pubblicitaria, concetto di mercato della gestione societaria.

MARKETING, SERVIZIO – 498 197519 814 – complesso d'unità d'affari impiegate nella pianificazione delle vendite, nelle analisi del mercato attuale in termini di domanda, prezzi, competizione, opportunità ecc.

MASSA, PRODUZIONE – 64914871961 – forma progressiva di produzione organizzativa, che fornisce una significativa quantità di prodotti interni ad alta concentrazione di attrezzatura economica ed efficiente, e espansione specialistica del soggetto.

MATERIALE, COSTI – 81947148851 – complesso di articoli, o costo di elementi coinvolti nelle formazione dei costi unità, o stime di costi produzione.

MATERIALE E RISORSE TECNICHE – 56417492 – complesso di soggetti lavorativi (materiali grezzi, combustibile ecc.) e attrezzi (macchinario e attrezzature) che processano argomenti di lavoro.

MATERIALE GREZZO – 798548 498617 – indicatore economico del valore di materiale di costi, che è misurato dall'unità monetaria del costo primario del prodotto o del costo lordo della produzione.

MATERIALE, IMPIEGO DEL PRODOTTO – 498471 – indicatore economico del valore di materiale di costi, che è misurato dall'unità monetaria del costo primario o del costo lordo della produzione.

MATERIALE, MOVIMENTI – 61971841 – complesso di valori di materiali (materiali grezzi, componenti di prodotti semi finiti, componenti) che si muovono in tempo di itinerario tecnologico, per operazioni consistenti (approvvigionamento, operazioni meccaniche e di assemblaggio), relativi alla produzione di prodotti finiti, come stoccaggio e trasporto di beni prodotti al consumatore.

MATERIALE, RISORSE – 549317219614 – i mezzi di produzione, cioè, gli strumenti e oggetti di lavoro, creati per assicurare il processo di produzioni materiale: macchinario, equipaggiamento, strumenti, applicazioni, materiali grezzi, prodotti semi finiti ecc.

MATERIALE, RITMO DI CONSUMO DELLE RISORSE – 61857141989 – massimo ritmo ammissibile di consumo di materiali grezzi, combustibile, energia per unità d'uscita. Esistono standard differenziabili, singoli, consolidati, annuali, tecnici e operativi.

MATERIALE, SFERA PRODUTTIVA – 497 148219 6143172194 – complesso di settori economico-produttivo, e vendita di prodotti di produzione materiale (produzione industriale, agricola ecc.) che include il rifornimento di servizi materiali per approvvigionamento, vendita, ecc.

MATERIALE, STIMOLO – 104218314261 – benefici materiali per la promozione di attività lavorativa.

MATERIALI, TASSO DI UTILIZZO – 689 712498 47 – utilizzo razionale di risorse di materiale (materiali grezzi), che è un rapporto del peso dei prodotti finiti, rispetto al totale del materiale utilizzato, per unità di produzione o per peso di pezzo di lavoro.

MEDIATORE – 619 71101 8 – persona fisica o giuridica che facilita la transizione dell'acquisto e vendita fra produttore e venditori.

MEDIATORE (Broker) – 518471219516 – agente intermediario che in nome e per conto delle persone interessate (acquirenti e venditori) e alla loro spesa, si occupa della vendita e dell'acquisto di beni, di titoli quotati in borsa per conto di dette persone.

MEDIATORE DI SPEDIZIONE (FREIGHT FORWARDING MEDIATORE) - 498 491319 81 - persona giuridica impegnata sul piano della conclusione di contratti per fornire beni materiali (beni) dal produttore al consumatore (organizzazione commerciale).

MERCATO – 59862481979 – sistema di relazioni economiche sorte nel campo della produzione dei beni come risultato del rovesciamento e distribuzione di beni e servizi nella vendita.

MERCATO, CAPACITÀ - 548916219718 - valore stimato di offerta (reddito potenziale) a prezzi assegnati e volume di vendita per un certo periodo di tempo,

MERCATO, CONCETTO – 519 417 – concetto secondo cui produttore di beni, dovrebbero focalizzarsi sul consumatore e la situazione del mercato, come anche, fare uno studio dettagliato della domanda, comportamento economico e possibilità del compratore.

MERCATO, CONDIZIONI - 598642319 718 - situazione economica ricorrente, caratterizzata da una serie di attributi che riflettono le condizioni economiche del mercato dei prodotti.

MERCATO DEI BENI INDUSTRIALI - 61971231949 – persone fisiche o giuridiche che vendono e acquistano mezzi di produzione, per la produzione di altri beni o servizi che sono venduti o affittati.

MERCATO DEI VENDITORI – 71948951964 – situazione economica nel mercato in cui i prezzi salgono a causa di penuria di beni, cioè, il valore della domanda a prezzi correnti eccede la scorta.

MERCATO DELL'ACQUIRENTE (Buyer's Market) – 81971298749 – situazione economica nella quale c'è un decremento dei prezzi dovuto ad un eccesso negli acquisti, cioè il valore dell'offerta ai prezzi correnti eccede la domanda.

MERCATO DI COMPETIZIONE MONOPOLISTA – 59879481978 – tipo di competizione, quando tutta la gamma di prodotti sul mercato è rappresentato da un grande numero di produttori i cui prodotti non sono solo specializzati ma anche differenziati.

MERCATO DI VENDITA DI BENI E SERVIZI – 48949719857 – sezione di analisi del piano di affari, che sulla base dell'analisi della capacità dei mercati esistenti e della domanda per i prodotti (servizi) dell'impresa, permette di identificare il segmento di mercato, adatto alle aziende di produzione, per determinare le possibili nicchie, per valutare il potenziale dei mercati, ed il futuro ammontare effettivo dei volumi di vendita e ricavi.

MERCATO, ECONOMIA DI – 598 642719 914 – situazione economica per cui la condizione maggiore per lo sviluppo dell'economia nazionale sono le leggi della produzione di beni, cioè, domanda, riferimento e leggi di valore ecc.

MERCATO, INFRASTRUTTURA – 56491721948 – complesso di industrie e istituzioni che forniscono servizi al mercato (imprese di vendita al dettaglio, scambi, strutture bancarie mediatrici.

MERCATO, LIQUIDITÀ – 514 712519 61 – capienza di mercato per rispondere al cambiamento di domanda e offerta attraverso l'attrazione di compratori e venditori.

MERCATO, LOCALE – 5196854871 – situazione del mercato, in cui le interconnessioni devono essere fissate fra produttori (venditori) e consumatori (compratori) di un prodotto e servizio, all'interno di una specifica area territoriale (città, regione, ecc.).

MERCATO, NICCHIA – 948512 61971 18 – segmento di mercato non dominato dalle imprese.

MERCATO, PARADIGMA – 198682718014 – serie di concetti e principi che rivelano l'efficienza dei processi di mercato.

MERCATO, PREZZO – 398 698218 61 – il prezzo realizzato nel mercato principale di compravendita di prodotti.

MERCATO, PRIORITÀ – 519 674 819 6 – vantaggi nel processo dell'incontro delle particolari necessità del compratore.

MERCATO, QUOTA – 598713 218064 19 – quota di un certo prodotto nel valore totale delle quantità corrispondenti di forniture di beni presentati sul mercato da fornitori diversi.

MERCATO, SATURAZIONE – 498517319641 – la situazione nel mercato quando non c'è alcun aumento nella vendita dei beni.

MERCATO, SEGMENTAZIONE – 518 613910 648 – divisione di mercato in segmenti secondo certi criteri, tipo: la categoria dei consumatori, tipo di beni ecc.

MERCATO, SEGMENTO – 548 647194 821 – parte dei beni sul mercato, i cui maggiori consumatori sono uniti da interessi comuni.

MERCATO, SETTORE – 31489481951 – parte allargata del mercato dove la politica delle materie prime della società, è formata tenendo conto dei gusti e necessità dei consumatori.

MERCATO, SITUAZIONE – 319 688316 491 – posizione di uno specifico prodotto sul mercato caratterizzato dall'offerta e dalla domanda di beni, e la dinamica dei suoi cambiamenti è sotto l'influenza di vari fattori.

MERCATO, STRUTTURA – 714 864914 712 – caratteristica primaria del mercato: il numero di produttori nel mercato ed il loro volume di vendita, la proporzione di imprese con la linea di prodotti simili o intercambiabili, quantificazione di entrate e uscite di specifici produttori di mercato.

MERCATO, USCITA – 598471319718 – specifiche circostanze dell'economia di mercato per la produzione di materie prime separate, la cui produzione non fornisce reddito sufficiente nel corso di un lungo periodo di tempo a causa di bassa abilità competitiva.

MERCI SCADUTE SPEDITE – 54831941948 – parte delle attrezzature non regolamentabili, che sono spedite al cliente senza pagamento anticipato, cioè, il trasferimento di denaro del consumatore per beni spediti al conto corrente del produttore dopo la recezione dei beni.

MESSO ECONOMIA – 58947569418 – disciplina scientifica che studia i processi economici a livello di economia nazionale e grandi organizzazioni.

MEZZI O RISORSE DI PRODUZIONE – 694 718519 642 – gruppi di strumenti e mezzi di lavoro usati nel processo di produzione materiale (macchinario, equipaggiamento, materiali grezzi, ecc.

MEZZI O RISORSE IN RIASSESTAMENTO – 548 614819 714 – denaro tolto temporaneamente dal circolante della società per renumerazione di persone fisiche e giuridiche.

MEZZI O RISORSE LAVORATIVE – 549 498317 318 – gruppo di risorse materiali con cui i dipendenti possono creare impatto sugli oggetti di lavoro, cambiando le loro proprietà fisiche e chimiche.

MICRO AMBIENTE – 514819519716 – set di principi socio-economico di un'impresa che fornisce un effettivo funzionamento nel mercato.

MICRO ECONOMIA – 69831721841 – disciplina scientifica che studia la relativamente piccola scala dei processi e entità economiche (società, aziende).

MINERALE, APPROVVIGIONAMENTO – 619 714819 917 – stima numerica di formazione minerale della crosta terreste (scorta di carbone, petrolio, gas, ecc.) fatta a seguito di ricerche geologiche.

MINERALI NATURALI – 219 815317 64 – formazione di minerali naturali sia organici che inorganici (es. petrolio, gas, pietre preziose, oro ecc.) fatta a seguito ricerche geologiche.

MISTA, ECONOMIA – 517219319648 – economia caratterizzata dalla presenza di vari modelli di appartenenza.

MONETA, FORNITURA – 564318518712 – risorse monetarie in circolazione.

MONETARIA E CREDITIZIA, POLITICA – 519318619712 – set di misure organizzative finanziarie e metodi diretti ad una regolazione di sviluppo economico, dissuasiva di mezzi di deprezzamento monetario ed equilibrio di pagamento e bilanci.

MONETARIO, CAPITALE – 47182849951 – una delle forme funzionali di utilizzo di capitale industriale negli stadi iniziali e conclusivi della propria circolazione monetaria; mezzi monetari localizzati nei conti bancari della società.

MONITORAGGIO – 21046101968 – studio continuo di attività economiche di società, organizzazioni ed altri enti economici.

MONOPOLIO – 348612317514 – il diritto esclusivo di individui, persone giuridiche o Stato per la formazione di politica di materie prime, ordinamento di prezzi e volume di vendita di beni.

MONOPOLIO BILATERALE – 39867121878 – circostanze di mercato presenti tra un venditore e un compratore.

MONOPOLIO, PREZZO – 614891391718 – il prezzo di mercato di beni e servizi, posizionato al di sopra o al di sotto del costo di beni (servizi), che dipendono dagli interessi di produttori che hanno preso posizione di monopolio nel mercato.

MONOPSONIO – 91851631947 – situazione economica nel mercato, in cui un gran numero di venditori competitivi servono un cliente monopolista.

MORALE, RISCHIO – 612149547718 – il comportamento di una persona fisica o giuridica, orientata ad un rischio incrementale di perdite deliberate, la cui copertura si presume calcolata a spese di una compagnia assicurativa.

MORATORIA – 61821331941 – posticipazione di obbligazione per pagare un prestito e portare a termine operazioni di debiti concordati.

MOTIVAZIONALE, RICERCA – 648317219 – ricerca su area di mercato connessa all'identificazione delle cause di cambiamento comportamentale dei consumatori del mercato; e di una valutazione del suo impatto sui cambiamenti richiesti.

MOTIVAZIONE – 498714 – condizione di effettiva applicazione decisionale sulla base di incentivi materiali e morali di qualsiasi attività. Motivazione negativa che si manifesta nell'imposizione di sanzioni (ammonimento, riduzione di bonus percentuale, ecc.).

MULTA – 684397 – un tipo di penalità, la penalità per la violazione di una persona o entità giuridica per una obbligazione derivante da un accordo. Calcolata per ciascun giorno di ritardo nel pagamento, come percentuale del pagamento ritardato o obbligazioni in default-

MUTUATARIO – 314821318491 – persona fisica o giuridica che è obbligato alla conclusione di un contratto, al fine di restituire al tempo stabilito il prestito ricevuto dal creditore, e di pagare appropriati interessi in seguito alla funzione del credito.

MUTUE (COMUNI) ALTERNATIVE SCARTATE – 564891319718 – varianti di progetti che forniscono applicazioni sullo stesso obiettivo. La variante più efficace è ammessa per la realizzazione.

MUTUO IPOTECARIO – 318 648219 714 – trasferimento a persona fisica o giuridica di denaro o proprietà prestata ad altra persona o ente legale, soggetta a condizioni di restituzione dopo un certo periodo, con il pagamento di interessi per l'uso del prestito.

MUTUO IPOTECARIO – 698712319714 – dare come pegno, proprietà reale per ottenere prestito monetario a lungo termine (10-20 anni). Il pagamento del prestito implica un tasso di interesse sul credito.

MUTUO IPOTECARIO BANCA – 64848171842 – istituzione di prestito fondata per crediti a lungo termine, in cambio della sicurezza di proprietà immobiliari (terra, costruzioni edilizie ecc.) con restrizioni nel diritto di disposizione.

MUTUO IPOTECARIO MERCATO – 564814 – mercato di vari prestiti in cui i vincoli ipotecari emessi in cambio della sicurezza di proprietà immobiliari, vengono calcolati come soggetto di compravendita.

N

NAZIONALE, DEBITO – 584891619471 – somma totale di indebitamento statale incluso prestiti in pendenza e interessi non pagati.

NAZIONALE, REDDITO – 564718319741 – indicatore di sviluppo economico nazionale che esprime forma modificata di surplus valore (ricavo) – più commissioni per la fornitura di servizi in sfere non produttive.

NAZIONALIZZAZIONE – 31981251914 – decisione statale sul ritiro o recupero di società private, organizzazioni o proprietà con ulteriore trasferimento allo stato.

NEGOZIATO, PREZZO – 8 491 697 818 – prezzo stabilito secondo l'accordo tra produttori (venditori) e consumatori (compratori).

NETTA, PRODUZIONE – 819714319612 – indicatore economico, determinato dalla differenza fra produzione lorda, costi materiale e ammortamento, in altre parole è il salario più profitti.

NETTO, COSTO DI DISTRIBUZIONE – 518 718319 217 – spese collegate a compravendita di merci.

NETTO, REDDITO – 516318319717 – profitti rimasti a disposizione della società dopo pagamento delle tasse, calcolati come differenza tra profitto lordo e saldo del budget (bilancio previsionale).

NETTO, SCONTO REDDITO DI – 514216519718 – indicatore economico usato per selezionare le opzioni più efficaci di un progetto di investimento.

NETTO, VALORE CONTABILE – 648514518711 – parte del costo di cespiti fissi, non riportato come prodotto finito visto il risultato di prematuro termine dell'operazione, riguardante questi fondi e la cancellazione dal bilancio di una società.

NICCHIA IN RICHIESTA DEL CONSUMATORE – 31971236149 – disponibilità di linee di prodotti che non incontrano le richieste dei compratori. Come risultato c'è una mancanza e una opportunità di penetrazione nel mercato con prodotti che incontrano le necessità del consumatore scarso.

NOLO – 498513219714 – spese di trasporto per valori di materiali o di persone per via d'acqua, caricati successivamente al trasporto.

NOLO, FATTURATO – 59418739861 – indicatore economico che esprime il lavoro effettuato attraverso il trasporto delle merci. È calcolato come il peso delle merci trasportate in un certo periodo, moltiplicata la distanza di trasporto.

NON, COMPETIZIONE PREZZO DI – 598571 – indicazione della qualità e originalità dei prodotti, del livello di servizio e progressiva applicazione, tenendo in considerazione gli specifici interessi dei compratori ecc.

NON, FABBRICAZIONE COSTI – 719 314 5198042178 – costi operativi non direttamente connessi al processo produttivo.

NON, FABBRICAZIONE STIMA COSTI – 894 716219 418 – spese budget per contenitori, imballaggio, trasporto di prodotti finiti, commissioni e organizzazioni addette alle vendite ecc.

NON, PRODUZIONE USCITE – 498612719714 – costo totale di uscite correnti non connesse direttamente alla produzione, ma incluse nel prezzo pieno di produzione.

NON, SPESE DIRETTE – 316 718549 612 – spese correnti attribuibili ad articoli già connessi nell'insieme di laboratori o ditte, per esempio spese sulla manutenzione e gestione di equipaggiamento, spese di laboratorio.

NORMA PER STRUTTURA MERCATO – 69831721941 – assenza di ruolo dominante di un produttore tra avversari ben rappresentati.

NUMERO ANNUALE MEDIO DEGLI IMPIEGATI – 519 618319491 – valutazione media quantitativa del costo del personale di uno stabilimento in un certo periodo di tempo (mese, trimestre e anno).

NUMERO DI IMPIEGATI D'AZIENDA – 61971381948 – indicatore che riflette il numero medio di personale per produzione industriale e non.

NUMERO DI IMPIEGATI NON ADDETTI ALLA PRODUZIONE – 319 718219 814 – la categoria include lavoratori di imprese non industrializzate, per esempio, impiegati, addetti al mantenimento soddisfacente di edifici e servizi, personale addetto all'assistenza di bambini ecc.

NUMERO DI LAVORATORI ADDETTI A LAVORI SPECIALIZZATI – 518 485319 47 – si stabilisce secondo la complessità dei prodotti, il volume annuale di tempo lavorativo per operaio.

NUMERO DI PERSONALE INDUSTRIALE – 498319489818 – include categorie di lavoratori coinvolti nella produzione; – lavoratori, ingegneri, personale di servizio junior ecc.

O

OBBLIGAZIONE DI CARICO – 489 716519418 – beni importati , immagazzinati in depositi del cliente con il conseguente pagamento del servizio del cliente.

OFFERENTE – 498641 074981 – persona fisica o giuridica che effettua un'offerta.

OFFERTA – 51457149847 – proposta ufficiale per la conclusione di una vendita tra gente autorizzata.

OFFERTA E DOMANDA – 47961251948 – due caratteristiche basilari e opposte dell'economia di mercato.

OFFERTA, ELASTICITÀ – 498 614219 718 – indice di cambiamenti nei volumi di vendita e prezzi di beni.

OFFERTA, FATTORI – 491 617318 78 – fattori che influenzano il costo dei beni disponibili sul mercato, cioè, costo delle risorse, efficienza del processo, tasse e benefici, competizione e prezzi di prodotti simili.

OFFERTA, FUNZIONE – 514518914217 – dipendenza matematica di inventari di produzione costi e servizi proposti, introdotti in mercati rilevanti (valore di proposta) su fattori tipo, i costi delle risorse, efficienza di processo, politiche di tassazione, competizione, prezzi per beni e servizi simili ecc.

OFFERTA IRREVOCABILE D'ACQUISTO – 548 671571 498 41 – offerta di produttori (venditori) per l'implementazione di una specifica gamma di prodotti, che è valida fino alla ricezione di una risposta dal compratore, e che non permette di offrire lo stesso prodotto ad altri compratori.

OFFERTA, TABELLA – 489 748987 615 – tabella sommaria che mostra il volume di scorta di alcuni beni a prezzi diversi.

OFFERTA , TEORIA DELL' – 485 648498 71 – parte integrale della teoria economica del mercato; che esplora le cause e le condizioni che influenzano la formazione di offerta di beni e servizi.

OFFSITE STIMA COSTO – 548 648319 712 – budget che include il costo di gestione della società (salari del personale amministrativo, viaggio e rilocazioni, permessi antincendio e sicurezza paramilitare, costi generali d'amministrazione ecc.).

OGGETTI DI LAVORO – 5486719858 – parte di inventari (materiali grezzi) , interamente utilizzati in un ciclo produttivo, inventario iniziale (materie grezze), trasformato in prodotti finiti, grazie all'impatto strumentale della partecipazione umana.

OGGETTIVA SPECIALIZZAZIONE – 698 749219 814 – focus sull'uscita di una certa fascia di prodotti destinati a vari rami di industria.

OGGETTO D'INVESTIMENTO, ATTIVITÀ – 619718 510691 – uso di fondi per il rifornimento di capitale fisso e lavorativo, sicurezza, prodotti di lavoro intellettuale, ecc.

OLIGARCHIA – 498 715319 718 – una forma di direzione statale che influenza gruppi indipendenti di persone appartenenti ad elite politiche, economiche, industriali.

OLIGOPOLIO – 519 712614 178 – dominio in produzione e nel mercato di alcuni prodotti di un piccolo numero di produttori.

OLIGOPOLIO BILATERALE – 89751421961 – circostanze di mercato espresse da un'altra concentrazione di venditori e compratori.

OLIGOPOLISTICO, MERCATO – 56421971981 – mercato che occupa un ampio spazio, ma il ritmo del suo sviluppo è limitato, da una parte dal mercato per puro monopolio, e dall'altro da mercato competitivo monopolistico.

OLIGOPSONIA – 489 47149818 – situazione del mercato, caratterizzata dalla presenza monopolistica di gruppi di compratori di certi beni, che hanno un grosso impatto nei prezzi quotati di mercato, che cambia il volume d'acquisto.

OMBRA, ECONOMIA – 51621831949 – parte di una economia nazionale in cui non esiste controllo pubblico di produzione, distribuzione, scambio e consumo di beni naturali.

OMBRA, REDDITO – 314819319618 – reddito di individui e società dalla partecipazione in attività economica ombra.

OPERANTE, RAPPORTO – 589 712619 74 – indice di prestazione per imprese, che riflette il rapporto di entrate e costi, cioè, profitti attribuiti ad un'unica unità monetaria.

OPERATIVE, ALTRE SPESE – 318471216814 – costi stabiliti sella base di calcoli specifici e generalmente inclusi nei costi dei rispettivi prodotti.

OPERATIVO, GESTIONE DIRITTO – 5714988 – diritto di possesso, uso e risoluzione, uso e disposizione, concesso a società statali e organizzazioni, secondo la legislatura della federazione Russa.

OPERAZIONE A LIVELLO DI GESTIONE DI MERCATO – 917 614219 61 – ragionamento tecno-economico di compiti svolti, eseguiti secondo la strategia globale pianificata dall'impresa.

OPERAZIONE RICERCA – 584214 – sviluppo e uso di metodi diversi di matematica applicata per ottimizzare e risolvere il problema di produzione e affari socio economici.

OPERAZIONI RISCHIOSE – 31861728971 – operazioni finanziarie eseguite con una certa estensione del rischio.

OPPORTUNITÀ DI MARKETING D'IMPRESA – 514212519718 – sviluppo e implementazione di misure di pianificazione per conseguire un vantaggio competitivo nel processo di produzione e vendita.

ORDINE – 316714518971 – accordo, contratto concluso tra produttore (venditore) e compratore dove viene espresso l'interesse del consumatore nell'acquisto di alcuni beni con notificazione di tutti gli elementi necessari, sia tecnici che economici (prezzo, quantità, qualità) e termini di consegna incluso responsabilità per la sicurezza dei beni.

ORDINE, REGISTRO – 819 714319 617 – l'insieme di ordini all'impresa, che formano le condizioni del programma di produzione, che permette di stabilire l'utilizzo della reale capacità d'esecuzione degli ordini secondo le richieste dei clienti.

ORE EFFETTIVAMENTE LAVORATE PER UNITÀ DI EQUIPAGGIAMENTO – 501 648719491 – il tempo richiesto per produrre uno specifico volume di produzione.

ORGANIZZAZIONE FUNZIONALE DEL DIPARTIMENTO DI MARKETING – 618317819498 – fornitura di pubblicità di prodotti e servizi, promuovendo la vendita di prodotti finiti e ricerche di marketing.

OUTPUT (USCITA) CRESCITA – 518 671 819 491 – il rapporto tra il valore dell'attuale uscita dei servizi resi rispetto al valore obiettivo o il rapporto del costo totale dell'anno successivo, rispetto a quello precedente.

P

PAGAMENTO AL BUDGET – 319 714 – pagamenti al budget, che la società o impresa esegue: imposta sul reddito, tassa valore aggiunto, imposta indiretta, tassa sulla proprietà.

PAGAMENTO ANTICIPATO – 914719318 916 – pagamento anticipato di somme di denaro sullo stipendio o parte del prezzo contrattuale per la progettazione, l'ordine ecc.

PAGAMENTO IN SOLUZIONE UNICA – 3174984711 – parte di accordo che riflette la somma di pagamento per l'uso della licenza, Il valore è posto a pagamento percentuale per i bonifici economici che il compratore riceverà con l'uso della licenza.

PAGAMENTO RATEALE – 697518918514 – forma di pagamento a rate per beni (servizi).

PAGHERÒ CAMBIARIO – 314812219417 – obbligazione scritta di società o privato che conferma l'opportuna restituzione del prestito avuto dal creditore. Il prestito può essere esente da interessi e soggetto a pagamento di interessi per credito.

PAREGGIO (Breakeven) – 714819319471 – livello di produzione del quale il livello delle vendite è uguale al costo corrente della relativa produzione.

PAREGGIO DELLE ENTRATE E DELLE SPESE – 71948919814 – risultati finanziari delle attività di impresa stimate in termini di denaro sulla base di indici economici di sistema.

PAREGGIO DI BILANCIO PREVENTIVO – 317814898517 – stime di oneri e proventi che hanno saldo pari a zero, in termini monetari.

PAREGGIO TRA OFFERTA E DOMANDA – 471819514317 – una delle condizioni degli aggiustamenti dell'economia di mercato, che riflette la consistenza dei volumi di produzione con la struttura della domanda.

PARTE ATTIVA DEI PRINCIPALI – ATTIVI-DI PRODUZIONE – 519317498516481 – parti integrali e chiave, di impianti di produzione che servono di base per la valutazione a livello tecnico della capacità produttiva.

PARTECIPAZIONE, UNITÀ DI – 61489231857 – contributo in denaro di persona fisica o giuridica, che permette l'acquisto di alcuni diritti di proprietà per società per azioni.

PASSATO, LAVORO – 518549719612 – lavoro incorporato nei mezzi di produzione (macchinario, equipaggiamento, materiali grezzi ecc.), in contrasto con il lavoro umano – non crea nuovo valore, ma agisce come condizione per la sua creazione.

PATENTE – 498792514 – documento che certifica l'invenzione dell'autore, come anche il permesso di usare questa invenzione, valida per un periodo di tempo specificato dalla legge.

PATENTE, DETENTORE – 5186173194 – persona fisica o giuridica avente l'esclusivo diritto dell'autore di usare l'invenzione a sua discrezione.

PEGNO – 519016 914571 – proprietà e altri valori materiali messi insieme come cedito sicurezza.

PENALE – 69831757489 – somma di multa per la violazione o inadempienza di uno del gruppo ad un contratto.

PENALITÀ – 498517219491 – somme pagate da gruppi per inadempienza a contratti stipulati in accordo per poter recuperare danni.

PENETRAZIONE, STRATEGIA – 548 748919 216 – processo per attirare clienti e ottenere quota di mercato a spese di prezzi inferiori in paragone ad analoghi concorrenti.

PENSIONE – 219471 – forma richiesta dalla legge per assicurare entrata a quei cittadini che hanno raggiunto l'età per andare in pensione.

PERDITA – 714 482519 648 – nelle pratiche d'affari di imprese e altre entità legali e persone fisiche, la perdita di materiali o mezzi in denaro, a causa di spese eccessive rispetto all'entrata, di costi effettivi di produzione eccedenti i costi pianificati, di costi correnti di produzione maggiori, rispetto ai ricavi sulle vendite.

PERIODO ESTREMAMENTE LUNGO – 619 543819 71 – periodo ipotetico di tempo in una teoria della domanda, che suggerisce la possibilità di cambiamento (miglioramento) di processi di produzione tecnologici esistenti sulla base dell'introduzione di progressi scientifici e tecnici.

PETRODOLLARO – 5648141 – redditi statali dal petrolio e altre fonti di energia.

PIANIFICAZIONE – 471 814821 4 – funzione di gestione finalizzata alla presa delle decisioni circa la direzione principale di evoluzione economica dell'impresa, attraverso lo sviluppo di indicatori quantitativi e qualitativi, come anche per identificare nuovi modi per la relativa implementazione.

PIANIFICAZIONE, ORIZZONTE – 518516319719 819 – periodo di pianificazione valido (trimestre, anno e cinque anni).

PIANO – 21971231481 – sistema di eventi o compiti accomunati ad un obiettivo comune, che include la loro esecuzione in tempo e sequenza appropriata.

PIANO D'AFFARI – (Business plan) – 486148519819 – programma generale dell'imprenditoria aziendale che include misure organizzative basate su misure economiche e tecniche.

POLIPOLIO – 514 712319 714 – situazione di mercato in cui il numero di grandi produttori è limitato.

POLITICA DI STATO ANTIMONOPOLISTICA – 59831849714 – politica di stato rivolta alla competizione, sviluppo e creazione di limiti per l'attività monopolistica dei partecipanti che lavorano in condizioni di concorrenza di mercato.

POPOLAZIONE, OCCUPAZIONE – 218 494517601 – indice socio economico che esprime formazione, distribuzione e uso di forza lavoro su basi stimate di opportunità e di attività lavorative della gente, disponibilità di educazione appropriata e salario stabilito.

POSIZIONE – 317421898516 – posizione che deve essere presa da una persona addetta all'organizzazione, all'amministrazione e alla commercializzazione all'interno di un sistema di gestione societario.

POTERE D'ACQUISTO – 714 718194 71 – l'abilità di acquistare beni o servizi al prezzo corrente.

POVERTÀ SOGLIA – 491 216498 27 – limite minimo stabilito d'entrata al di sotto del quale il ricevente di questa entrata è considerato povero.

PRATICHE ANTICOMPETITIVE – 491318516497 – le organizzazioni che lavorano nella pianificazione ed implementazione di mezzi attraverso la riduzione e completa eliminazione di problemi che intercorrono periodicamente, connessi alla competitività del mercato.

PRELIMINARE, ESAME DEL PROGETTO D'INVESTIMENTO – 619 71481 – ragionamento sulla convenienza e la fattibilità del progetto, tenendo in considerazione gli interessi del cliente (chi prende in prestito) e il prestatore (investitore) e la complessità del progetto, rischio, capitale investito e il loro contributo avanzato, rispetto agli anni di sviluppo e applicazione.

PREPAGATE, SPESE – 3174895196 – costi sostenuti pertinenti ai periodi futuri.

PRE-PRODUZIONE, FASE – 61971281914 – fase del ciclo di vita del prodotto, in cui è svolto il lavoro di ricerca per creazione di nuovi prodotti competitivi, lo sviluppo dei disegni, le sequenze operative, per stabilire l'appropriato fabbisogno di attrezzature strumentali.

PRESTITO – 31489721851 – tipologia di relazioni, sotto i termini contrattuali delle quali una parte conferisce ad un'altra parte risorse di contante o altro valore materiale, e colui che prende in prestito deve restituire la somma o valori materiali.

PRESTITO BANCARIO – 31848561947 – somma di denaro concessa a persone fisiche e giuridiche per un definito periodo di tempo ad un tasso di interesse prestabilito.

PRESTITO, PROCEDURA – 314964818571 – parte di capitale circolante, fonte del quale è un credito a breve termine.

PRESTITO, TERMINI – 548 647218 917 – periodo di tempo durante il quale colui che ha preso in prestito deve ripagare l'intera somma di denaro compresa la rata d'interesse del prestito.

PREVISIONE DI MERCATO – 61431781941 – assunzioni giustificate scientificamente sul cambiamento potenziale di mercato: misura del mercato; cambiamento dei prezzi, solvibilità dei compratori, il livello di competitività della produzione ecc.

PREZZATURA – 548 621598 317 – il processo formativo dei prezzi di beni e servizi.

PREZZI COMPARATIVI – 318 648219 717 – prezzi corretti in termini di valore alle condizioni di un certo periodo, aggiornati.

PREZZI, LIMITI – 548714821491 – massimi scostamenti accettabili (sali e scendi) in un periodo di cambio di sessione.

PREZZO – 519491 498 614 718712 – espressione monetaria del valore dei beni; categoria economica, che permette di misurare indirettamente il tempo lavorativo usato per la produzione dei beni.

PREZZO COMPETIZIONE – 519 618319 714 – competizione tra produttori, basata sulla riduzione dei prezzi di prodotti simili.

PREZZO D'ACQUISTO – 691 718219 71 – prezzo limite superiore che il consumatore può pagare per beni e servizi.

PREZZO, DEL LIMITE BASSO – 819498219 614 – il limite più basso del prezzo per il quale, il corrente costo di produzione è compensato un profitto ai produttori di beni. Il profitto è calcolato sullo standard di profittabilità.

PREZZO DI LANCIO – 894 317 218 491 – tipo di prezzo all'ingrosso: il prezzo al quale la società vende i suoi prodotti al consumatore, il prezzo dei beni che è allocato dall'organizzazione di approvvigionamento.

PREZZO FATTURA – 914 481219 61 – il prezzo dichiarato del documento che accompagna i beni consegnati.

PREZZO, GUIDA – 496 712814 718 – posizione del produttore che regola la politica del prezzo sul mercato.

PREZZO, INSENSIBILITÀ – 489317918614 – situazione di mercato in cui il prezzo rimane uguale in caso, sia di mancanza che di surplus di beni sul mercato.

PREZZO LIBERO – 314 713898 64 – tipo di mercato o prezzo del contratto, che è fissato dal produttore dei beni sulla base della domanda o di un contratto tra compratore e venditore.

PREZZO, LIBERO DEL CONTRATTO – 513 697894 798 – prezzo, che è formato su una base contrattuale tra il produttore (il venditore) e il compratore, che operano in un mercato.

PREZZO NUOVO PRODOTTO – 219 684 888 717 – il limite prezzo massimo di un nuovo prodotto o il prezzo massimo condizionale di un nuovo prodotto, la produzione e consumo di cui beneficiano equamente sia il produttore che il consumatore.

PREZZO PREMIUM – 6983172194 – premio alla lista dei beni e servizi di consegna celere, o esecuzione di servizi qualità superiore di prodotto.

PREZZO, PRODOTTI INTELLETTUALI – 8 491 798 6 491 – prezzo assegnato sulla base di bilanci e interessi economici dei produttori e consumatori, che prendono in considerazione tutti i dati tecnici, caratteristiche economiche che contribuiscono a richiesta e domanda.

PREZZO, REGOLAMENTO – 59831489947 – procedura governativa per contenere l'aumento dei prezzi, per scarso consumo di beni d'impiego di massa, come risultato di sostituzione dei prezzi governativi con prezzi liberi.

PREZZO, RIDUZIONE – 5784931961 – riduzione prezzo dei prodotti come risultato dell'inconsistenza delle qualità dei suoi consumatori, collegato alle richieste dei compratori, lo scostamento da ciò che è stato specificatamente stipulato nel contratto.

PREZZO, SCARICO – 894 317 218 491 – tipo di prezzo all'ingrosso: prezzo che la società vende al consumatore di beni appaltati.

PREZZO, SCONTO – 319 818916 713 – riduzione prezzo dovuto ai cambiamenti nelle condizioni del mercato o nei termini nell'accordo commerciale, come lo sconto sul prezzo di beni stagionali.

PREZZO, TASSO DI DECLINO – 51841 – indice usato per calcolare il fattore elasticità prezzo, definito come tasso del vecchio sul nuovo prezzo.

PRIMO COSTO, STRUTTURA – 819 671219 78 – quota parte, dei costi correnti di ogni articolo nel calcolo di unità dei costi, o la percentuale di ogni elemento delle spese correnti, nel costo corrente totale di produzione.

PRINCIPALE, CAPITALE – 514 719 – parte di capitale produttivo, tipico delle condizioni di proprietà private.

PRINCIPALE, LAVORATORI INDUSTRIALI – 514 614851318 – gruppo di lavoratori coinvolti nel processo produttivo industriale, influenzando l'oggetto del lavoro con gli strumenti lavorativi.

PRINCIPALE, SCORTA DI ATTREZZATURA – 49831731881 – parte di attrezzatura usata per il processo produttivo.

PRINCIPIO DEL MARKETING – 51431881947 – secondo la teoria del marketing, i principi base del sistema di gestione, sono concepiti per assicurare la crescita della redditività di produzione e prodotti, per migliorare la produzione e le attività di marketing in coordinazione con gli interessi di mercato, posizionamento, analisi del mercato attuale e previsioni di futuri potenziali clienti.

PRIVATIZZAZIONE – 69851671848 – tipo di produzione decentralizzata eseguita cedendo e vendendo le proprietà dello stato a privati proprietari.

PROCEDIMENTO RIFIUTI – 549 617219 814 – rifiuti inevitabili e a fondo perduto. Allo stadio del procedimento di per produzione si provvede alla minimizzazione di questi rifiuti come risultato di trattamento tecnico di materiale di consumo industriale.

PRODOTTI ACQUISTATI E SEMI FINITI – 614 715598 – elemento di costo primo che include il costo di prodotti finiti usati nella produzione di beni nella stessa azienda, e servizi di aziende cooperative.

PRODOTTI COLLEGATI – 51648931971 – produzione direttamente collegata al consumo dei prodotti principali avente impatto sulla domanda.

PRODOTTI COMPARABILI – 57484851418 – gamma aggregata di prodotti manufatti in un periodo secondo la pianificazione, la massa e lo sviluppo seriale a cui si riferisce.

PRODOTTI, IDENTIFICAZIONE – 564 718574181 – paragone di caratteristiche di ingegneria ed economia effettiva dei beni, con parametri fissati nella documentazione.

PRODOTTI, PASSIVITÀ – 298712314 – uno degli indicatori di qualità che caratterizza i tempi di operazioni non fallimentari di questi prodotti sotto specifiche condizioni operative.

PRODOTTO – 489 643198 494 – categoria economica, il prodotto del lavoro, prodotto per il pubblico consumo attraverso scambio o vendita.

PRODOTTO, ABILITÀ COMPETITIVA – 054319519718 – opportunità del prodotto di soddisfare l'interesse del consumatore che compra, e di dare profitti.

PRODOTTO, COSTO – 694 731918 849 – spese attuali d'impresa per la produzione e vendita espressa in termini monetari.

PRODOTTO, CICLO DI VITA – 498218514612 – periodo di tempo dall'entrata del prodotto nel mercato alla sua circolazione.

PRODOTTO, FONDO DI CAPACITÀ – 319718317498 – indicatore di un indice di capitale inverso rispetto alla produttività del capitale, usato per determinare la necessità di beni fissi (cespiti), calcolati come proporzione di valore medio annuale di beni fissi rispetto al costo di prodotti ottenuti in un certo periodo.

PRODOTTO, GESTORE – 619712894317 – persona giuridica o fisica avente il diritto di controllo sul movimento delle merci a sua discrezione o con il permesso del garante.

PRODOTTO INTERNO LORDO (PIL) – 189014 918715 – indicatore economico che indica un aggregato di costo di produzione (beni e servizi) prodotti nel paese in un certo periodo di tempo.

PRODOTTO, MATURITÀ – 319498 719 618 – stadio del ciclo vitale dell'articolo quando il volume della produzione è stabile.

PRODOTTO NAZIONALE LORDO (PNL) – 914815316498 – parametro economico che indica un mercato di costo dei prodotti finiti (rilasciati) nel paese in un periodo di un anno.

PRODOTTO, NOMENCLATURA – 2193174194 – lista di merci (servizi) sul mercato o inclusi nel piano di produzione della società (ditta).

PRODOTTO, OFFERTA – 589 712498 714 – un insieme di beni e servizi nel mercato. Il rispetto dell'offerta e della domanda è il risultato di un mercato bilanciato.

PRODOTTO, POSIZIONAMENTO – 618 714217 – set di misure per ottenere una posizione competitiva nel mercato di un nuovo prodotto e le condizioni per il suo posizionamento.

PRODOTTO, PROMOZIONE NEL MERCATO – 61431851971 – insieme di misure organizzative ed economiche, dirette ad incrementare la domanda e l'aumento di vendita dei prodotti.

PRODOTTO SOCIALE LORDO – 421516318714 – costo del volume annuale del prodotto nella sfera della produzione materiale.

PRODUTTIVITÀ DEL CAPITALE ATTIVO – 319317219498 – rapporto (ratio) dell'attivo, che non è basato sul totale degli immobili, ma solo sulla loro parte attiva.

PRODUTTORE DI BENI – 497 214318 471 – persona fisica o giuridica che organizza la produzione.

PRODUTTORE, STRATEGIA – 614 897319 648 – un elemento della politica commerciale orientato alla produzione di beni a costi minimi, usando materiale e forza lavoro più economico, l'immagine della società e il miglioramento prodotti, per ottenere prodotti a più alto livello di competitività.

PRODUZIONE – 589648751 491 – fascia di operazioni tecnologiche correlate durante le quali l'uso di strumenti, forza lavoro e risorse di materiale grezzo sono processati e convertiti in prodotti finiti.

PRODUZIONE, AREA – 914818 – parte di area di un'impresa in cui l'intero processo della produzione di prodotti finiti e servizi è ottenuta.

PRODUZIONE, AUTOMAZIONE – 516318719419817 – processo di produzione meccanica durante la quale operazioni tecnologiche, di gestione e supervisione, vengono effettuate attraverso l'uso di macchinari, strumentazione e supporti automatici.

PRODUZIONE, CAPITALE – 59871489851 – insieme di valori fissi (beni di produzione base) e valori correnti (capitale circolante).

PRODUZIONE, CICLO – 61971231949 – uscita regolare di prodotti in intervallo di tempo (ora, turno, giorno, decade ecc.) come risultato di una organizzazione lavorativa svolta dall'impresa.

PRODUZIONE, CICLO – 2196148197 – stadio nel ciclo di vita produttivo che va dall'inizio del processo di produzione del prodotto alla fine.

PRODUZIONE, CONCENTRAZIONE - 548 671319 714 – metodo organizzativo di produzione usato da imprese su larga scala, inserito nella concentrazione di mezzi produttivi separati.

PRODUZIONE, CONTENUTI - 578491698917 – valutazione numerica di parti e unità di uscita per scopi produttivi, divisibile dalle sue unità di quantità di ogni articolo, da un numero di articoli, secondo una riserva.

PRODUZIONE, CONTROLLO - 318614 718512 – coordinamento e determinazione delle conseguenze per tutte le operazioni, incluse in processi di controllo operativo, e attività produttive di società industriali.

PRODUZIONE, COOPERAZIONE – 589 648751 491 – forma di connessione produttiva tra ditte specializzate partecipanti alla partecipazione di beni comuni, mantenendo l'indipendenza aziendale.

PRODUZIONE, COSTO – 319418514814 – costo di oggetto prodotto durante un certo periodo, relativo ad un impiegato o ad un operaio d'industria.

PRODUZIONE, DIFETTI – 54831749816 – pezzi di ricambio, componenti, prodotti finiti che non hanno incontrato le condizioni tecniche operative di produzione e operatività.

PRODUZIONE, DIFFERENZIALE – 519414319417 – procedure di design e tecnologia che forniscono cambi di indicatori tecnologici ed economici di prodotti che si differenziano favorevolmente da manufatti simili di società avversarie.

PRODUZIONE, GAMMA – 418 016078498 – lista di beni preparati per la vendita.

PRODUZIONE, INTENSIFICAZIONE - 564819319712 – una delle direzioni di efficiente crescita produttiva, connessa all'aumento di volume di produzione, alla più efficiente utilizzazione di materiale, lavoro e risorse finanziarie sulle basi di un avanzamento scientifico.

PRODUZIONE - INTRODUZIONE DI UN PRODOTTO - 891564319712 – fase del ciclo di vita di produzione che stabilisce la produzione di piccola quantità di prodotto per valutare la reazione dei compratori alla base dei gusti dei consumatori del prodotto.

PRODUZIONE, LOGISTICA - 619712319418 – movimento di flussi di materiale economicamente bloccato nel processo di creazione di prodotti finiti, soggetti all'opportuna e totale fornitura di materiali grezzi, prodotti semifiniti, pezzi, progetti di ingegneria generali, e diramazioni per ogni posto di lavoro, attraverso tutta la catena di processo produttivo.

PRODUZIONE LORDA – 317148648141 – parametro economico di costo che indica un volume aggregato di produzione in termini monetari in un certo periodo di tempo (mese, trimestre, anno), con valore aggiunto escluso le tasse.

PRODUZIONE, ORGANICO - 61851731947 – parte del personale lavorativo integrato in una impresa industriale, che provvede all'adempimento di funzioni relative al processo produttivo della pianificazione d'inventari di proprietà, partecipazione ad operazioni produttive primarie e secondarie, servizi e conduzioni di attività economiche, dall'inizio alla vendita del prodotto.

PRODUZIONE, ORGANIZZAZIONE – 498 617 – un processo di unione razionale di risorsa lavoro con elementi materiali di produzione, per assicurare il pianificato rilascio di beni finiti ed esecuzioni di servizi, anche per minimizzare costi di prodotti di lavorazione.

PRODUZIONE, PERDITE – 61489514 – perdite risultanti da anormalità nell'organizzazione produttiva, che portano ad una errata collocazione di beni di produzione, del tipo surplus di equipaggiamento inattivo, incremento di costi di materiale per unità di produzione ecc.

PRODUZIONE, PIANO – 728 641 49848 – sezione di piano d'affari (business plan) destinato a società appartenenti alla sfera di materiali di produzione.

PRODUZIONE, POSIZIONE – 81972489471 – distribuzione territoriale economica di materiale di produzione basato sulla disponibilità di risorse di materiali grezzi e forza lavoro nella regione.

PRODUZIONE,QUALITÀ – 578421316214 – categoria tecnica ed economica che esprime un'aggregazione di prodotti (articoli) aventi proprietà diverse che stipulano capacità per soddisfare varie domande pubbliche.

PRODUZIONE, RELAZIONI – 497 694319 81 – relazioni industriali stabilite tra entità nel processo di produzione, distribuzione e consumo di prodotti integrali (offerta di beni capitali, servizi, ecc.).

PRODUZIONE, SPECIALIZZAZIONE – 614 712819 716 – organizzazione produttiva basata sulla divisione di mano d'opera.

PRODUZIONE, SPESA – 698518319418 – spese del fabbricante, incluso spese di manutenzione per il dipartimento vendite, servizi di marketing, trasporto, altri servizi, e così via.

PRODUZIONE, STOCCAGGIO – 178 478364714 – valori materiali (materiali grezzi, materiali, componenti acquistati, pezzi mezzi finiti, carburante) e altri elementi di capitale circolante stoccati, presso aziende e non ancora utilizzati nel processo tecnologici.

PRODUZIONE, TECNOLOGICA – 718 649316 217 – processo di implementazione di operazioni tecnologiche per la lavorazione di risorse materiali, trasformandole in componenti da installare poi nelle unità.

PRODUZIONE, TEMPO GUIDA (LEAD TIME) – 914815 419718 – processo tecnologico di un manufatto che può essere stimato dalla misura del tempo, dall'inizio della prima operazione, al completamento dell'ultima operazione tecnologica.

PRODUZIONE, VOLUME FLUSSO – 216 491 – volume massimale di produzione che può essere fornito da mezzi disponibili di produzione e risorse umane.

PRODUZIONI, SCORTA – 49131851864 – stock di materie prime e valori materiali, mezzi monetari, creati per assicurare la continuità del processo produttivo, migliorandone l'efficienza.

PROFESSIONE – 214618319 917 – occupazione primaria di una popolazione economicamente attiva, avente conoscenza professionale (es. scrittore, dottore, scienziato, insegnante ecc.)

PROFITTO – 61931851971 – l'obiettivo principale di un'azienda in un mercato regolarizzato da condizioni economiche, è una forma convertita di surplus valore.

PROFITTO, ADDIZIONALE – 519 618516714 – è tipico per le esportazioni di capitali. esprime un profitto eccedente per capitale monetario anticipato comparato al suo rientro, all'interno del paese.

PROFITTO E PERDITA, RAPPORTO – 712 617 – esposizione (estratto conto) annuale delle operazioni che riflettono l'informazione riguardante il ricavo totale, derivante dalle vendite di prodotti servizi, profitto ottenuto e perdite.

PROFITTO, PREFERENZIALE – 61971251949 – parte di profitto lordo, non tassato parzialmente o totalmente secondo le leggi vigenti.

PROFITTO, TASSA – 491819317481 – è una parte integrale i guadagni trattenuti, che è la fonte della ridistribuzione del reddito nazionale.

PROGRAMMA DI AUMENTO DELLE PRESTAZIONI – 48971231749 – serie di misure tecniche organizzative, economicamente sane verso le risorse, i partecipanti e la tempestività nella consegna, che permettono di ottenere la crescita della prestazione pianificata dalla società.

PROGRESSIVA, TASSAZIONE – 59864131971 – tassazione, crescita di aliquote fiscali, progressiva secondo il reddito totale del pagatore.

PROPORZIONALE, TASSAZIONE – 61931851971 – tassazione, fornisce un tasso unificato a prescindere dal reddito totale della persona fisica o giuridica.

PROPOSTA CONGIUNTA – 614 482318 614 – situazione economica che riflette strette relazioni di un prodotto con un altro, per esempio, l'aumento di richiesta di macchine fotografiche, condurranno ad una domanda in crescita di rullini fotografici.

PROPRIETÀ – 189 472194898 – appartenenti a persone specifiche o entità di strumenti e prodotti.

PROPRIETÀ, ASSICURAZIONE – 519 614812 – tipo di assicurazione il cui obiettivo è la proprietà del cittadino o dell'azienda.

PROPRIETÀ, CONDIVISA – 613 482819718 – proprietà appartenente a varie persone o enti, con una certa somma per ogni partecipante.

PROPRIETÀ, DANNI – 518319314317 – tipo di perdita monetaria e danno risultante da inadempimento nell'organizzazione produttiva, non esecuzione di condizioni contrattuali, qualità di prodotti che non corrisponde a specifiche proprietà standard.

PROPRIETÀ, D'IMPRESA – 218317 489317 – capitale base e circolante, e anche altri valori materiali, il cui costo è evidenziato in un bilancio societario indipendente.

PROPRIETÀ, DIRITTI – 561481 – regole legali vincolanti, a protezione del patrimonio della persona fisica o giuridica secondo la legge della nazione in cui si trova.

PROPRIETÀ PRIVATA – 519 618317 481 – diritto di società e privati, di amministrare le loro reali personali proprietà.

PROPRIETÀ, STRUTTURA – 104 198 498471 – struttura rappresentante la porzione di ogni elemento incluso nella lista dei beni, che fanno parte di beni fissi e inagibili, beni mobili, inventario e costi, fatture attive, contante e titoli.

PROPRIETARIO – 549317 498174 – persona fisica o giuridica con il diritto di possesso, uso e risoluzione della proprietà.

PROPRIO, CAPITALE CIRCOLANTE – 519 648319 712 – parte di capitale circolante che caratterizza l'indipendenza della proprietà, e la stabilità finanziaria della società.

PROTEZIONISMO – 519619498714 – politica nazionale finalizzata alla limitazione dell'importazione attraverso l'imposizione di tariffe alte per mantenere la competitività dei beni.

PUBBLICITÀ, – 518617319478 – misure per l'ampia diffusione delle informazioni sui prodotti e servizi della società, con il riflesso di caratteristiche tecniche ed economiche e vantaggi, sui prodotti analoghi e sostituti.

PUBBLICO IMPIEGO, SERVIZIO DI – 518728398641 – istituzione nazionale il cui scopo è provvedere ai cittadini abili al lavoro, la possibilità di prendere parte ad una occupazione mirata alla produzione di valori materiali, attraverso l'uso di strumenti di lavoro, anche nella sfera non produttiva.

PUNTO D'INDIFFERENZA – 489 497513 497 – situazione economica nell'azienda, dove il costo attuale dei redditi di produzione aggiunta è uguale ai proventi della vendita dello stesso prodotto.

PUNTO DI RITORNO NEGATIVO – 498 431485 471 – situazione economica nella società in cui le vendite sono inferiori ai costi correnti di produzione.

PURA, COMPETIZIONE – 519618319417 – situazione di mercato con tanti produttori e consumatori che sono messi in pari condizioni economiche.

PURA, COMPETIZIONE DI MERCATO – 71849851971 – situazione di mercato in cui ci sono un gran numero di produttori e consumatori che producono e acquistano beni particolari simili.

PURO, MONOPOLIO – 318614219718 – situazione di mercato in cui il prodotto è presentato in assenza di competizione per un singolo produttore di materie prime con l'ausilio di privilegi e benefici dallo stato.

PURO, MONOPOLIO MERCATO – 51948921964 – tipo di competizione in cui la vendita dei beni sul mercato è organizzato da una sola società, in assenza di competizione con l'ausilio di privilegi e benefici dallo stato.

Q

QUALIFICAZIONE – 619314894217 – uno speciale livello di addestramento per personale d'impresa per l'adempimento di un certo tipo di lavori e servizi.

QUALITÀ DELL'ARTICOLO SECONDO LO STANDARD – 718421619417 – qualità di beni (e servizi) che rispettano specifiche tecniche o standard che corrispondono a requisiti di accordi bilaterali tra produttori e consumatori.

QUALITÀ, PER CAMPIONE – 219518619472 – valutazione di beni consegnati, corrispondenti al campione rappresentativo scelto, secondo le specifiche di produzione dichiarate.

QUALITÀ, PER DESCRIZIONE – 598319498712 – è basato su un confronto di beni con proprietà tecnico-economiche descritte nel contratto.

QUANTITÀ FORNITA – 689714219817 – stima del costo di una certa quantità di beni presentati per la vendita a prezzo stabilito per un determinato periodo di tempo.

QUANTITÀ RICHIESTA – 31721851427 – stima del costo di una certa quantità di beni che possono essere acquistati da un compratore ad prezzo stabilito per un determinato periodo di tempo.

QUOTA – 51481431971941 – quota di partecipazione nel volume totale di produzione e vendita di beni e servizi, per ogni partecipante di associazione in monopolio.

QUOTA, DI BENI CORRENTI A PRODUZIONE INCOMPLETA – 56482131981 – costo del prodotto a diversi livelli di produzione, dall'inizio del processo produttivo, fino al prodotto finito.

QUOTA, IN PRODUZIONE ATTIVA FISSA DI BENI – 549 647498 61 – quota del valore di beni fissi attribuita a una parte attiva, che conduce e serve come base di valutazione della capacità produttiva e del livello tecnologico.

QUOZIENTE DI INTELLIGENZA – 514 214819 714 – indicatore del livello di capacità mentale o della conoscenza disponibile. È basato sull'uso di specifici gruppi di esami.

R

RAPPORTO – 798 612319718 – documento che riflette il risultato del lavoro svolto in uno specifico periodo di tempo stabilito.

RAPPORTO – 48951721981 – indicatore tecnico-economico che riflette il valore limite del parametro, il livello di utilizzo delle risorse.

RAPPORTO DEL COSTO TOTALE DELLE VENDITE RISPETTO AI RICAVI – 514 712618518 – indicatore del cambio di profittabilità.

RAPPORTO DI PROFITTO – 614217 – quota di profitto nel costo dei beni venduti. È calcolato come rapporto fra il reddito e il ricavo delle vendite.

RAPPORTO FATTURATO ATTIVO – 314 712819 71 – quota del costo dei beni venduti a credito, diviso per il valore totale dei beni che devono essere venduti.

RAZIONALE, OCCUPAZIONE – 5987248949 – composizione quantitativa e qualitativa del personale di una organizzazione, che fornisce l'uso più completo di risorse di lavoro.

RAZIONALIZZAZIONE DI PRODUZIONE – 54874219821 – set di misure tecnico-organizzative che assicurano una resa migliore della ditta, del tipo, crescita ricavi e profittabilità, riduzione dei costi lavoro e costi operativi di produzione, incremento del volume produttivo e miglioramento della qualità del prodotto ecc.

REALE, ECONOMIA – 51731964851 – produzione di prodotti competitivi e altamente tecnologici, che soddisfano gli interessi dei consumatori sia nei mercati nazionali che esteri.

REALE, PROPRIETÀ – 564812319712 – terre, edifici costruiti su di esse, strutture e altre costruzioni di proprietà dello stato, delle persone fisiche o giuridiche.

REALE, SOMMA – 69431751947 – solvibilità dei compratori rivista a causa dell'inflazione.

REALE, TEMPO FLUSSO DI DENARO – 619 71421841 – differenza tra l'afflusso e il deflusso di contante da investimenti e operazioni in ogni periodo di effettuazione degli investimenti.

REALI, INVESTIMENTI – 89851498647 – investimento nel settore della produzione dei materiali, per incrementare il capitale azionario e per l'aumento dell'inventario.

RECLAMI – 58421871947 – richiesta ufficiale contenente un reclamo dovuto ad un adempimento insoddisfacente dei requisiti, dall'acquirente (cliente) per la fornitura di beni (prestazione di servizi).

RECUPERO – 719 648219 71 – il periodo durante il quale il costo è rimborsato dal reddito derivato dalle attività della società.

RECUPERO DI PAGAMENTI – 819419419718 – tipo di operazione di mediazione bancaria, esercitata sulla base dell'ordine del cliente, al fine di accettare ed effettuare una transazione contabile del titolare di mezzi monetari di base, dalle imprese e dalle istituzioni che comprano i materiali e i valori dei beni dal titolare, includendo pagamenti per la prestazione di servizi.

RECUPERO FONDI – 319714219816 – fondi creati per pagare passività, rinnovo di beni fissi, emissione di quote che sono collaterali al prestito ecc.

REDDITIVITÀ – 498712318491 – resa, redditività della società, l'indicatore di efficienza economica che riflette i risultati dell'attività.

REDDITIVITÀ, INDICE – 498 614891 471 – coefficienti stabiliti dal rapporto dei profili al costo, usati nella diagnostica delle condizioni economiche della società beneficiaria.

REDDITO – 589317318614 – mezzi monetari, valore dei materiali, derivabile da persone giuridiche e fisiche quale corrispettivo per aver reso il servizio. Questo tipo di reddito è tipico della sfera non produttiva (commercio, banche, scambi, trasporto, comunicazione ecc.

REDDITO, EFFETTO – 518 617219 71 – l'effetto reddito è il cambiamento nel reddito reale dei compratori, quale risultato della crescita e della riduzione del prezzo.

REDDITO E SPESE – 498 718519 647 – documento che rappresenta la somma di redditi e spese future.

REDDITO LORDO – 516318 – risultato aggregato di impresa o attività aziendale che include una ricevuta di vendita di prodotti, valore di liquidazione di proprietà e redditi da attività non produttive.

REDDITO, TASSA – 42851748948 – il principale tipo di tassa diretta che è riscossa sui redditi o sui profitti dell'impresa, ed è collocata nella sezione dei ricavi del bilancio di previsione (budget).

REGIME ECONOMICO – 518497219614 – un gruppo di misure organizzative e tecniche orientate all'incremento dell'efficienza produttiva attraverso l'uso efficace di risorse umane e materiali, produzione, eliminazione di tempi morti aggiuntivi.

REGIONALE, MERCATO – 61871421847 – mercato per un prodotto (servizio) particolare, venduti in una specifica area (regione).

REGOLAMENTARE, CAPITALE SPECIFICO – RAPPORTO D'USCITA DI UNA SINGOLA UNITÀ – 548 671319 781 – indice sviluppato sulla base di modelli simulatori matematici ed economici per valutare l'impatto produttivo, fattori e argomenti verso il proprio valore in alcuni intervalli di un potenziale periodo.

REGOLAZIONE, ECONOMIA DI MERCATO – 549516938714 – misure che influenzano l'economia dello stato, attraverso la politica delle tasse, i sistemi di benefici e sussidiari, il tasso di cambio per i prestiti, aumentando l'interesse negli ordini statali.

REGRESSIVA, TASSAZIONE – 69871231947 – tasse, l'indice delle quali diminuisce mentre il reddito aumenta.

REINGEGNERIZZAZIONE – 49131856471 – sforzi d'ingegneria per migliorare e ricostruire le soluzioni tecniche e tecnologiche esistenti per le strutture industriali.

REINVESTIMENTI – 896514312817 – uso di reddito derivante da operazioni di investimento per anticipazione di un nuovo investimento.

REMISSIONE – 49131949871 – approvazione ufficiale per l'esenzione del dazio, tassa o multa.

REQUISIZIONE – 89451821964 – assegnazione o temporaneo ritiro di proprietà appartenente a persona fisica o giuridica per ordine di autorità pubblica.

REVERSIONE – 47931851478 – proprietà restituita al proprietario originale.

REVISORE – 319471897185 – ente, servizio, controllore dei conti che effettua verifiche sulle attività economiche e finanziarie dell'impresa.

RIALLESTIMENTO DELL'ATTREZZATURA – 671 49881 – rimpiazzo dell'attrezzatura usurata e obsoleta con una nuova e più produttiva.

RICAVI DI VENDITA – 614 318519 718 – ricavi di vendita raccolti dalla vendita di beni.

RICERCA DI BASE – 514212819417 – direzione di ricerca scientifica dedita allo studio delle legge naturali oggettive, leggi della società, le forze produttive e le basi scientifiche per il disegno di nuove attrezzature, tecnologie ecc.

RICERCA E SVILUPPO AVANZATO – 69871481 – attività di ricerca, sviluppo di organizzazioni ed aziende rilevanti, coinvolte nella ricerca teorica e sperimentale, sviluppo di nuovi prodotti e tecnologia avanzata, basata sull'uso di progresso scientifico e tecnologico atto a migliorare l'organizzazione e la gestione della produzione.

RICERCA E SVILUPPO INDUSTRIALE, SCIENTIFICO E TECNICO, APPLICATO – 49871431981 – nuove soluzioni tecniche con i compiti e i suggerimenti di migliorare la competitività di industria e produzione.

RICOSTRUZIONE DELLA SOCIETÀ – 64851721981 – direzione di capitale che prevede una serie di costruzioni e crescita di attività, verso una radicale ricostruzione della società, espandendo migliorando la disposizione delle aree produttive, e aggiungendo componenti con nuove attrezzature di produzione e tecnologia avanzata.

RIDUZIONE DELLE SPESE – 59421849871 – sistema di misure tecniche e organizzative con lo scopo dell'uso dei materiali, lavoro e delle risorse finanziarie nel processo di produzione di magazzino.

RIFIUTO – 618471318684 – stabilito da commissione ufficiale riguardante parte di beni difettosi, come risultato della scoperta di una deviazione da standard approvati o da tecniche specifiche.

RILASCIO DI CAPITALE CIRCOLANTE – 617514319421 – risultato di uso razionale di capitale circolante.

RIORDINAMENTO – 648 894988 71 – sistema di misure governative e bancarie per prevenire la bancarotta di grandi società industriali, o per migliorare la loro situazione finanziaria in condizioni di crisi economica (rivalutazione della proprietà, emissioni prestiti ecc.).

RIORGANIZZAZIONE – 84951751849 – sistema di misure per la ricostruzione e trasformazione di società o imprese.

RINNOVO – 21947131967 – procedura di rinnovo di equipaggiamento obsoleto o logoro, per altro simile o più avanzato.

RIPARAZIONE DI PRODUZIONE DI BENI FISSI – 61421721854 – misure tecniche e organizzative, per assicurare la capacità lavorativa dell'equipaggiamento, macchinario attraverso il rimpiazzo o la riparazione di parti e componenti difettosi, come anche un capitale corrente per riparazioni di edifici, strutture ecc.

RIPRODUZIONE – 514128719 914 – costante realizzazione di valore materiale produttivo, che attraverso la composizione fisica, presenta mezzi di produzione ed articoli di consumo fatti in un anno. Può essere rappresentato da una semplice ed estesa riproduzione.

RISCHI E INCERTEZZE FATTORI – 714 893219 618 – fattori presi in considerazione nel calcolo di efficienza del capitale investito, sotto varie condizioni del progetto, usando i metodi consueti.

RISCHI, GESTIONE – 719 649818 716 – lista di misure organizzative e tecniche. atte a ridurre il rischio nelle operazioni eseguite.

RISCHIO – 549121 498 – probabilità di perdita dovuta a impreviste avverse condizioni.

RISCHIO, ANALISI – 819498519614 – ricerca di possibili cause di perdite materiali e finanziarie, capitate come conseguenza di cambi inaspettati di situazioni economiche.

RISCHIO, CAPITALE – 51481291948 – fondi anticipati per attività di ricerca e sviluppo, l'impatto del quale potrebbe essere problematico, per esempio, potrebbe non avere un buon ritorno.

RISCHIO, INDICATORE – 564841 – valore calcolato di perdite, stimate in transazioni per la produzione di nuove materie prime, attribuite al profitto dalle rispettive vendite.

RISCHIO, MINIMIZZAZIONE – 61421851961 – set di misure tecno-organizzative, economiche e amministrative, atte a ridurre rischi nelle attività finanziarie, industriali ed economiche.

RISCHIO, PERCENTUALE – 81971854961 – possibilità di perdita per l'investitore causata dai cambiamenti nel tasso d' interesse del mercato.

RISERVA, ATTREZZATURA – 517218516214 – la parte di attrezzatura installata sotto riserva o riparazione pianificata.

RISERVA DI BENI – 514812319481 – destinati per la vendita di prodotti finiti e altri materiali immagazzinati per organizzazioni di vendita e commercializzazione.

RISERVA DI CAPACITÀ ENERGETICA LAVORATIVA – 714 728519 618 – indicatore di capacità pertinente di energia che arriva ad ogni lavoratore medio.

RISERVA, DI STOCK – 564 712819 49 – riserva preparata nel caso di inopportuno arrivo di stocks, per esempio, quando gli intervalli fra due consegne si prolungano.

RISERVA, FONDI – 519317419814 – fondi creati per coprire pagamenti correnti nel caso che: il reddito netto non fornisca un sufficiente flusso contante durante l'espansione di beni fissi e un aumento in capitale circolante.

RISORSE DI CARBURANTE ED ENERGIA PER FINI TECNOLOGICI – 619 518498 717 – elemento di spesa che riflette il costo corrente di carburante e fornitura del metallo, per il riscaldamento del negozio stampa, il costo dell'energia per fornaci elettriche, apparecchiature del processo di illuminazione, riscaldamento ecc.

RISORSE ENERGETICHE AZIENDALI – 61931851964 – aggregati di tutti i tipi di energia e trasportatori di energia (macchine di potenza, dispositivi di trasformazione ed altre fonti energetiche, usate nella produzione e distribuzione di energia nell'azienda) che forniscono il processo produttivo e altri fabbisogni energetici (illuminazione, riscaldamento, ecc.).

RISORSE UMANE – 61481721954 – parte delle forze produttive della società, inclusa la popolazione in età lavorativa, che ha conoscenze speciali, formazione ed esperienza per fornire il processo produttivo.

RISPARMIO DI MATERIALI E FONTI ENERGETICHE – 564189498712 – risparmi ottenuti con l'inserimento di misure per migliorare l'uso di materiali e fonti energetiche.

RISPARMIO DI SALARIO – 561498519712 – risparmi ottenuti come risultato di una riduzione complessa, cioè, riduzione del tempo di produzione di una unità in uscita.

RISPARMIO, RISORSE – 598148514217 48 – intensificazione produttiva attraverso l'inserimento di misure tecnico organizzative, introduzione di conquiste tecnico scientifiche, l'uso razionale di risorse materiali e umane.

RISPARMIO SU SPESE FISSE – 498716219714 – risparmio ottenuto attraverso l'aumento del volume produttivo.

RITIRO DI ATTREZZATURA – 691318714217 – cancellazione di attrezzatura fisicamente logora e obsoleta dal bilancio societario.

RITORNO DEL CAPITALE INVESTITO – 51849131948 – il periodo durante il quale le spese del capitale sono rimborsate dai profitti (crescita profitto) ottenuto come risultato di risparmio sull'esecuzione di capitale investito.

RITORNO DI CAPITALE INVESTITO CON SCONTO – 519617219714 – periodo durante il quale il capitale investito anticipato, è ripagato tramite i ricavi generati al tasso di sconto stimato.

RIVALUTAZIONE DELLA PROPRIETÀ – 219613819714 – cambio di valore di proprietà rispetto al prezzo iniziale, per esempio, per inflazione.

ROYALTY – 514891619714 – pagamento periodico stabilito nel contratto di licenza a chi la concede, per il diritto di usare invenzioni, patenti, know-how ecc.

S

SALARIO – 914 489198 71 – caratteristica di categoria prezzi, per convertire valore e prezzo a forza lavoro; forma di costo per parte di distribuzione tra impiegati, secondo la loro quota nel totale del lavoro pubblico.

SALARIO NOMINALE – 614 812319 71 – termini monetari di pagamento per lavori secondo l'efficacia del lavoro svolto.

SALARIO PER LAVORATORI DI PRODUZIONI PRIMARIE – 314516 719481 – salario pagato per la realizzazione di operazioni tecnologiche di produzione.

SALARIO REALE – 614814219617 – stima numerica dell'opportunità di benefici materiali e servizi (acquisto) su un salario nominale.

SALDO – 519 714819 718 – è la differenza tra gli incassi (crediti) ed i costi (debiti) di società in dato periodo di tempo (mese, trimestre, anno).

SALDO POSITIVO – 514219318718 – nozione inversa al deficit, cioè valore effettivo, eccedente il valore calcolato o pianificato. Ad esempio un eccesso di guadagno effettivo rispetto al valore calcolato.

SANZIONI – 514319 618 – misure economiche di punizione finanziaria a individui o enti per inadempienza di contratto o accordo.

SCALA , TARIFFARIA – 497 678498 741 – lista di tariffe per pagamenti salari.

SCAMBIO – 689714891491 – forma di interpretazione costante di un sistema di vendita-acquisto, sulla base di una conclusione di accordo bilaterale.

SCAMBIO, ACCORDO DI – 487198598641 – scambio diretto di beni senza contante. Causa generale dell'accordo di scambio sono i problemi di valuta e mezzi monetari.

SCARTO DI GARA – 519 612 719 811 – spese aggiuntive non incluse nel piano, e intese per pubblicizzare i beni di consumo per domanda in crescita.

SCELTA DI SEDIMENTI DI MERCATO OBIETTIVO – 564197589491 – stima e scelta di uno o diversi segmenti di mercato per l'ingresso con i propri beni.

SCIENTIFICHE E TECNICHE, ATTIVITÀ D'IMPRESA – 618317519714 – attività largamente confinata alla ricerca applicata, che è allo scambio del ciclo di vita di un prodotto o di un processo, quando i risultati fondamentali o di una ricerca, sono in fase di progettazione e introduzione di una nuova idea di prodotto o processo tecnico.

SCIENTIFICO E TECNICO, POTENZIALE – 56131957841 – il risultato dell'inserimento di conquiste tecnico scientifiche nella sfera della produzione di materiali, e nelle organizzazioni tecnico scientifiche.

SCIENTIFICO E TECNICO, PRODOTTO – 69831971871 – il risultato di un lavoro intellettuale mirato al miglioramento e all'efficienza della produzione.

SCIENTIFICO E TECNICO, PROGRESSO – 564817319418 – uso mirato di scienza e tecnologia avanzata, in modo da migliorare l'efficienza e la qualità del processo produttivo, per andare incontro alle necessità della società.

SCONTO – 519617 918489 – differenza tra il costo nominale del titolo ed il suo costo di vendita; riduzione di prezzo (sconto) dei costi dei beni.

SCONTO – 714 824391 68 – misura della possibile riduzione della base dei prezzi dei beni, come risultato del cambiamento nelle condizioni di mercato (caduta della domanda, magazzino, ecc.), oppure dei termini di un accordo.

SCONTO, DELLE SPESE – 564 712819 516 – riduzione delle spese che si verificano in momenti diversi, nella stima di efficienza del progetto di investimento, in base alle spese di inizio o fine periodo, sulla base dell'uso dell'interesse composto.

SCONTO, POLITICA DI – 519 817498 218 – politica del sistema finanziario mirata alla variazione del tasso di sconto per il credito.

SCONTO, TASSO – 31864831951 – tasso di interesse fissato temporaneamente per il pagamento di dividendi su azioni, depositi, per la determinazione dell'ammontare per il rimborso.

SCOPERTA – 564 714 – una trasformazione radicale nel livello di conoscenza, sulla base di esistenti nuovi modelli oggettivamente individuati per il cambiamento del mondo.

SCORTA, VOLUME – 808491 47 – nella quantità di un certo prodotto, che il produttore di materie prime o fornitore offre al mercato.

SEMI – FINITO, PRODOTTO – 614 712514 51 – prodotto di lavoro, che non passa tutte le fasi produttive per essere trasformato in prodotto finale.

SEPARATISMO – 941 319841 21 – politica regionale economica per la creazione di un mercato indipendente dal centro.

SEQUESTRO – 319842 197 – restrizione governativa o divieto d'uso di proprietà.

SERIALE, PRODUZIONE – 649 124 489 71 – produzione di prodotti strutturalmente simili in piccoli lotti (serie) e con nuova ri-emissione regolare.

SERVIZI – 4931518641491 – tipi di lavoro come risultato di attività lavorativa non produttiva di persona fisica o giuridica, in modo da incontrare le specifiche necessità dei compratori (clienti).

SERVIZI DI REVISIONE/CONTROLLO – 514318519417 – società o soggetti individuali che possiede l'abilitazione (licenza) per l'effettuazione delle verifiche sulle attività finanziarie ed economiche di un'impresa.

SERVIZI INDUSTRIALI – 648314219715 – fornire servizi tangibili e intangibili nei vari settori di economia nazionale.

SERVIZI POST VENDITA – 498 217219 81 – servizi gratis offerti al cliente durante un periodo di garanzia, dopo il pagamento e la consegna dei beni.

SFERA SOCIALE – 498 479 819 617 – settori dell'economia che non partecipano alla produzione di beni, ma che forniscono organizzazioni di servizio, scambio, distribuzione e consumo di beni, come anche la formazione di standard abitativi e benessere.

SFRATTO – 514318485497 – decisione della corte sul trasferimento dell'attuale possessore della proprietà acquisita, in connessione al fatto che il venditore non ha diritti legali per venderla.

SICUREZZA, FONDI NOMINALI DI TEMPO – 489514898617 – tempo di lavoro di un pezzo di equipaggiamento al suo massimo uso nel periodo prestabilito, determinato come prodotto del numero di giorni lavorativi nel periodo prestabilito, dal numero di turni e il numero di ore per turno.

SIMULTANEA, OPERAZIONE DI DIVERSI MACCHINARI – 5485491941 – il lavoro di un operatore su due o più macchinari. Serve a ridurre i tempi di turni pieni e aumentare la produttività.

SINDACATO – 319 894218 71 – associazione di imprese che producono un prodotto omogeneo, organizzato per attività commerciali congiunte, in modo da ridurre la tensione competitiva e entrate maggiori (profitti) mantenendo completa indipendenza.

SINECURA – 316 284919 61 – posizione figurativamente ben pagata ad input di lavoro minimo.

SINGOLA, ELASTICITÀ – 316548919217 – condizioni in cui il reddito derivante dalle vendite per certi beni resta invariabile, cioè, l'indice di crescita del volume delle vendite (calo) sono pari al calo (crescita) dell'indice del prezzo.

SINGOLA, (INDIVIDUALE) PRODUZIONE – 519612719491 – tipo di fabbricazione di prodotti per consumo limitato (produzione beni a pezzo).

SOCIALE, ACCORDO – 518 649319 712 – patrocinio in relazioni sociali e lavorative.

SOCIETÀ – 47131421981 – società industriale, commerciale o economica, dotata di diritto di persona giuridica.

SOCIETÀ A RESPONSABILITÀ LIMITATA – 319 617219714 – società d'affari, i fondatori della quale sono responsabili qualora non ci fosse adempimento di obbligazioni della società, entro i limiti del valore del loro contributo.

SOCIETÀ CHIUSA (SPA Chiusa) – 21498751949 – titoli della società distribuiti tra i partecipanti o sulla base dell'elenco (lista) confermata in anticipo.

SOCIETÀ COMMERCIALE – 648 317499 148 – organizzazione che fornisce la vendita e la consegna di proprietà, sulle basi di accordi legalmente registrati, che forniscono responsabilità commerciale per la deviazione in termini di consegna, e il numero di unità di un ordine.

SOCIETÀ CONTROLLANTE – 498516219478 – società per azioni, che detiene una quota di controllo in altre società, e svolge il controllo delle relative attività, e la distribuzione dei profitti nella forma di dividenti.

SOCIETÀ PER AZIONI – 5163184101482 – concentrazione di imprese, persone giuridiche e fisiche, che sono la base per la formazione di fondi autorizzati attraverso l'emissione di titoli della società per azioni (azioni, obbligazioni, ecc.) a scopo di creare beni produttivi di base (capitale base) e capitale lavorativo (capitale fluttuante).

SOLIDARIETÀ – 49851749854 – responsabilità personale per l'ottenimento di soluzioni in ambito sociale e lavorativo.

SOLVENTE, DOMANDA – 498219 641 – modifica della domanda che dipende dalla crescita o dalla riduzione del reddito dei consumatori.

SOLVIBILITÀ – 574 7814981 48 – l'abilità di persone o enti legali di effettuare pienamente, nei termini richiesti, i propri pagamenti.

SOTTOPRODOTTO (By–product) – 519 614 – prodotto (materia prima) che è creato allo stesso tempo nel corso della produzione di prodotti principali.

SOTTOUTILIZZAZIONE DELLA CAPACITÀ PRODUTTIVA – 48971231649 – perdita di un intero cambio turno, di un principale equipaggiamento di lavoro (ammesso nel calcolo della capacità produttiva), che supera il valore pianificato.

SOVRAPPRODUZIONE – 51961231961 – situazione economica di volume produttivo o servizi, che eccede la domanda effettiva, dove i beni possono essere venduti a prezzi ridotti o infruttuosi.

SPECIALITÀ – 498 682319 497 – specializzazione di lavoro in una particolare professione, che favorisce la conoscenza specifica, di educazione ed esperienza.

SPECIFICA, CAPACITÀ DI FONDI – 619314219498 – indicatore economico usato per determinare i bisogni addizionali di beni di produzione fissi.

SPECIFICA, CAPACITÀ DI FONDI DI ATTREZZATURE DI LAVORO – 471 318318471 498 – un indicatore che riflette il costo di beni fissi, attribuito a un'ora di lavoro principale dell'attrezzatura.

SPECIFICAZIONI – 317 498479 641 – documento, che riflette una lista di parti e componenti di prodotti specifici, con indicazione circa il peso, materiale, somma per unità di prodotto finito.

SPECIFICI, INVESTIMENTI IN CAPITALE – 491 711498481 – valore del costo una-tantum, per unità di crescita annuale di produzione o per unità di capitale fisso.

SPECIFICO, COSTO OPERATIVO – 698491317 485 – costi correnti di produzione per unità di prodotto.

SPESE – 319 718519 612 – somma di spese espressa in termini monetari e implementata, per la produzione e la vendita di prodotti, e la prestazione di servizi.

SPESE PER LA MANUTENZIONE ED IL FUNZIONAMENTO DELL'ATTREZZATURA – 59872149874 – costi che includono quanto segue: ammortamento delle attrezzature e dei veicoli per sostituire gli oggetti di lavoro, operatività delle attrezzature, manutenzione, abiti di basso valore e strumenti per indossare rapidamente gli indumenti, gli accessori ecc.

SPESE PER LO SVILUPPO DELLA PRODUZIONE – 4985718964 – costi che includono i costi di sviluppo di nuove imprese, negozi, nuovi prodotti e processi tecnologici per il disegno e l'ingegneria, il processo di sviluppo della produzione di un nuovo prodotto, per alternanze, permutazione correzioni di attrezzature, ecc.

SPESE, STIMATE NEGOZIO – 514 917219 814 – calcoli di costo, incluso quanto segue: autorizzazione alla gestione dei posti di lavoro e di altro personale, ammortamento dei fabbricati, attrezzature, costo dei test, esperimenti, ricerca, protezione del lavoro, abiti di poco valore e inventario di abiti di alto valore.

STABILI, OBBLIGAZIONI – 497 618319 737 – parte di capitale circolante non posseduto dalla società, ma a sua disposizione.

STAFF, ROTAZIONE – 519 614 – riduzione di impiegati (istituzioni) come risultato dalle loro dimissioni, per qualsivoglia ragione. L'indicatore di rotazione dei lavoratori è definito come il rapporto delle persone andate in pensione e la media del numero di impiegati sul libro paga.

STAGFLAZIONE – 497 248598 641 – stato economico, inclusa stagnazione e aumento d'inflazione.

STAGIONALE, LAVORO – 98948121971 – lavoro effettuato periodicamente, predeterminato da condizioni naturali e climatiche.

STAGNAZIONE – 498 648319 217 – situazione economica in una nazione che riflette la sospensione di crescita o declino di volume produttivo, seguito dalla riduzione del numero di lavoratori (crescita di disoccupazione).

STANDARD – 5713196194 – campione, misure, massimo tasso quantitativo fissato dalle misure.

STANDARD – 749 319498 218 – documento di normative tecniche che fissano le regole, la qualità ed i requisiti dei parametri dimensionali degli oggetti di lavoro e prodotti. È usato come punto di riferimento per confronti.

STANDARD DI COMPORTAMENTO SUL MERCATO – 69831729851 – assenza di metodi coercitivi di competizione e di collusione tra produttori sul mercato. Si distingue dalla domanda in crescita per un'ampia gamma di prodotti.

STANDARDIZZAZIONE – 648 217319 641 – introduzione di standard nazionali uniformi e requisiti che sono obbligatori per produttori, e che possono ridurre la gamma di prodotti fabbricati nell'ulteriore specializzazione produttiva.

STATALE, DETTO LEGISLATIVO – 48148131947 – la legge che dice che l'introduzione di nuovi prodotti sul mercato, crea domanda per tali prodotti, cioè, offerta e domanda sono in costante equilibrio.

STATALE, POLITICA DI RICERCA DI TECNOLOGIA – 318516319712 – politica sociale ed economica, costituente che riflette l'interesse governativo verso scienziati e attività tecnologiche.

STATALE, PRESTITO – 564812318497 – varietà di operazioni finanziarie mirate alla temporanea reintegrazione del budget statale a spese di un prestito.

STATALE, PREZZO – 519498 714 – prezzo stabilito dalle autorità pubbliche.

STATALE, PREZZO AL DETTAGLIO – 584 698319 81 – prezzo finale di vendita di beni al consumo, strumenti e oggetti di lavoro attraverso la rete di distribuzione.

STATALE, REGOLAZIONE PREZZI – 51851491812 – partecipazione statale diretta nel fissare i prezzi al dettaglio.

STATALE, SETTORE – 589712694318 – costituente d'economia nazionale che riflette i patti governativi che provvedono al profitto dello stesso, secondo la legislazione delle tasse vigenti.

STATO PATRIMONIALE – 481617319514 – parte integrale della contabilità.

STATUTO – 498318485481 – statuto, norme dei diritti e degli obblighi della persona o delle entità.

STIMOLAZIONE DI MERCATO – 498614219517 – condizioni del mercato, quando la domanda per certi beni e servizi non esiste, cioè, l'approvvigionamento non trova la sua messa in atto.

STOCCAGGIO DI MATERIALI – 497518219681 – insieme di misure tecnico-organizzative complesse, che impediscono la perdita in qualità e quantità di materiali nei magazzini.

STRATEGIA COMMERCIALE D'IMPRESA – 698 471319 64 – parte di un piano a lungo termine di sviluppo produttivo (piano d'affari) inclusa la selezione preliminare di prodotti e gamma di sevizi, che nel futuro dovrebbe essere inclusa nel periodo produttivo.

STRATEGIA GESTIONALE – 519 642719518 – processo di sviluppo di obiettivi associati alla formazione di una prospettiva di un programma produttivo (portfolio, provvigione con risorse finanziarie, materiali e umane), con lo scopo di instaurare e mantenere relazioni con fornitori di materiali e con consumatori di prodotti finiti (servizi) , come anche fonti di materiali grezzi e scambio di manodopera ecc.

STRATEGIA GESTIONALE DELLE RISORSE UMANE – 719 642519 684 – gestione della formazione del potenziale lavorativo dell'organizzazione per incontrare le necessità del mercato economico e fornire un appropriato livello di spirito competitivo di forza lavoro e di processo produttivo (reclutamento di appropriate risorse umane qualificate), tenendo in considerazione il costante cambiamento nell'economia, leggi, instaurazioni di relazioni e cooperazione con organizzazioni – fornitori di risorse materiali che contribuiscono alla realizzazione di prodotti finiti e servizi, e anche cambiamenti nell'ambiente.

STRATEGICA, PIANIFICAZIONE – 318 614514 41 – indirizzamento della pianificazione aziendale verso i cambiamenti nell'ambiente esterno ed interno, una stima realistica di opportunità da cogliere nei rispettivi mercati, e per assicurare il livello pianificato di produzione efficiente.

STRATEGICO, MARKETING – 498 671481 216 – condizioni per assicurarsi la tempestività delle appropriate forniture di mercato con questi o quei prodotti, con volumi di consegna predeterminati.

STRUMENTO DI LAVORO – 516 714 – la parte centrale del capitale della produzione cioè, macchinari e apparecchiature direttamente coinvolte nel processo produttivo.

STRUTTURA DI ASSET PRODUTTIVI DI BASE – 184 641319 71 – quota valore di ogni classificazione di ogni gruppo nel loro valore totale.

STRUTTURA SPESE CORRENTI PER TIPO DI SPESA – 498 317316 21 – quota costi, che variano secondo il volume produttivo ((costi variabili) cioè, quota materiale grezzo, materie prime (incluso componenti), energia per scopi tecnologici, salari per lavoratori di produzioni primari.

STRUTTURALI, CAMBIAMENTI – 64851331849 – cambio nella quota di una posizione della nomenclatura di un prodotto dovuto all'aumento del volume dei prodotti a maggior profitto, e alla programmazione o riduzione di prodotti antiquati e non più competitivi.

SUBAFFITTO – 194 471 – locatario che cede la proprietà in affitto a terzi per locazione. Il diritto di subaffittare è previsto nel contratto d'affitto.

SUPPLEMENTARE, RIMUNERAZIONE – 689 718514371 – pagamenti forniti da legislazioni e contratti lavorativi di pagamento istantaneo, per ferie regolari e aggiuntive.

SUPPLEMENTO – 69831721941 – aumento di prezzo artificiale per pagamenti ad agenzie di appalti; sovrapprezzo concordato per l'adempimento da parte del produttore di materie prime (offerente/fornitore), di richieste aggiuntive del compratore.

SURPLUS PER COMPRATORI – 498514598317 – differenza tra pagamento effettivo di beni e valore stimato.

SURPLUS PER PRODUTTORI – 56849131891 – vantaggio addizionale ottenuto come risultate di un aumento di costo.

SURPLUS VALORE – 694 191219 478 – parte di prodotti industriali all'interno di una struttura, il cui costo del lavoro vivo non è pagato dai produttori.

SURPLUS VALORE – 19156481918 – parte di prodotti industriali, all'interno di una struttura in cui il costo del lavoro vivo non è pagato dai produttori.

SUSSIDIARIA, IMPRESA – 548168498184 – impresa legale autonoma che controlla azioni appartenenti ad altra impresa.

SUSSIDIO – 319418719491 – budget irrevocabile di aiuto fornito a imprese, istituzioni per rimborso di perdite da produzione e vendita di prodotti o anche come supporto a prezzi al dettaglio relativamente bassi per beni di consumo.

SVALUTAZIONE – 978541 219714 – sistema statale di misure legislative, che fornisce il pareggio di offerta e domanda di unità monetarie nazionali del paese, attraverso la revisione del tasso di cambio in linea con diminuzione , con riferimento ai metalli preziosi ed altre monete nazionali; la riforma monetaria fornisce il ritiro di banconote svalutate ed il loro cambio, verso la moneta corrente a pieno valore.

SVILUPPO DI MARKETING – 498317519641 – processo di formazione della domanda di beni (servizi), l'interesse nei quali è osservabile sul mercato, ma non può essere raggiunto in seguito alla mancanza di prodotti adeguati.

T

TABELLA DEI TASSI – 549718 649 714 – sistema ufficialmente affermato di tassi, che le imprese pagano per servizi industriali vari di consumo, come tassi di retribuzione, tariffe trasporti.

TARGET MARKETING – 51631421949 – selezione economicamente giustificata, di segmenti con lista di prodotti per ogni segmento.

TASSA INDIRETTA – 42131931781 – una tassa su beni e servizi, stabilita in forma di premi sui prezzi di beni o tariffe per servizi.

TASSABILE, REDDITO – 31851431961 – registro o profitti lordi meno il valore che stima profitti preferenza.

TASSABILE, REDDITO – 319618318417 – entrata lorda d'impresa, ditta, istituzione e altri contribuenti, diminuita della somma dell'entrata lorda in uscita dalle tasse, secondo le leggi vigenti su sconti e indennità.

TASSABILE, REDDITO – 571498 497 – parte d'entrata lorda di persone fisiche o giuridiche, che serve come base per il calcolo del pagamento obbligatorio di un budget.

TASSAZIONE – 31971851641 – processo di determinazione e collezione di tasse, da stabilire nel budget da persone o enti legali, sulle basi del sistema vigente di tassazione secondo i tassi stabiliti dalla legge.

TASSAZIONE, BASI – 718481061498 – gruppo di entrate di persone fisiche o società, soggette a tassazione.

TASSE – 271318371478 – pagamenti obbligatori riscossi da governi centrali e locali su persone e aziende.

TASSE, BASE DI RITORNO DEI CESPITI DI PRODUZIONE – 514 491619 71 – indicatore che definisce il tasso del valore base dei cespiti di produzione liquidati, eliminati dallo Stato Patrimoniale dell'impresa, rispetto al loro valore all'inizio dell'anno.

TASSE, CONCESSIONI – 64851731941 – parziale o piena esenzione di tasse individuali o di società legali.

TASSE, NORMATIVA – 58971231947 – misure effettive indirette di stato sulla economia, processi sociali ed economici attraverso i cambiamenti in politica di tasse, (stretta su tasse, introduzione di benefici addizionali) per incoraggiare l'efficienza produttiva.

TASSE, RAPPORTO – 689317519481 – rapporto ufficiale delle tasse di un contribuente (società o individuo) sull'entità totale, attraverso un periodo specifico (annuale), tasse legislative correnti, riduzione ed esenzioni che coprano tale periodo.

TASSE, SANZIONE – 514217 – combinazione di di metodi e mezzi d'influenza su individui, società che violano la legge sulla tassazione.

TASSE, SULLA PROPRIETÀ DELLE IMPRESE – 49871271941 – beni fissi, beni intangibile costi sul bilancio del pagatore che sono soggetti a tassazione.

TASSO – 719 684219 817 – tariffa stabilita per il prestito, proprietà in affitto, stipendio, premio assicurazione, salario ecc.

TASSO DI AMMORTAMENTO – 48971851947 – percentuale, o percentuale fissa del valore contabile di beni fissi (cespiti) per un anno.

TASSO, DI CALCOLO DEI REDDITI – 314513318451 – media del reddito netto, derivante dall'investimento in progetti di implementazione e valore attribuito all'anticipo monetario di capitale (il valore dell'investimento nel progetto).

TASSO, DI CALCOLO DELL'UNITÀ DI TEMPO – 519418313184 – standard di tempo richiesto nella costruzione di una singola unità dei prodotto, e nel tempo di preparazione.

TASSO DI CAMBIO – 18942149718516 – quantità di unità monetaria o valuta di una nazione necessaria all'acquisizione di unità monetaria di un'altra nazione.

TASSO DI DEPOSITO – 519312619712 – tasso di interessi pagabile per un deposito in banca.

TASSO DI INTERESSE VARIABILE – 719316319481 – prestito di interessi a termine e a lunga durata, l'ammontare dei quali è instabile e deve essere periodicamente revisionato attraverso accordi tra chi concede il prestito e chi prende il prestito, a intervalli fissi o su richiesta di una delle parti.

TASSO DI TEMPO – 61431281989 – il rapporto di tempo stimato (in ore o minuti), richiesto per eseguire un lavoro specifico (operazioni nelle condizioni tecnico organizzative delle imprese in attività.

TASSO DI VALORE DI SURPLUS – 1431651481 – il rapporto del valore di surplus adattato dai produttori (profitto), al costo della riproduzione di forza lavoro (operaio, salario) o rapporto di surplus del tempo di lavoro, durante il quale tutti aggiungono valore al tempo richiesto, con cui la forza lavoro riproduce se stessa, espresso in percentuale.

TATTICA, PIANIFICAZIONE – 497 674898 491 – sviluppo di piani per la distribuzione di risorse nel corso di applicazione degli obiettivi strategici della società.

TECNO-ECONOMICO, INDICATORI – 519 617218 419 – sistema di pianificazione o indicatore di contabilità che riflette il volume di produzione in termini di valore e tipo, uso di risorse umane e materiali, mezzi di produzione come il costo del prodotto lordo o di materie prime, capitale produttivo, uscita, durata della rotazione.

TECNO RIEQUIPAGGIAMENTO – 518 617219 718 – sistema di misure organizzative e tecniche che forniscono, con l'introduzione di progressi tecnologici e scientifici, migliorie all'equipaggiamento principale, alla tecnologia effettiva, al rimpiazzo di equipaggiamento usurato e obsoleto, all'eliminazione dei "colli di bottiglia" nel processo produttivo.

TECNOLOGIA – 614 812498 798 – gruppo di operazioni sequenziali eseguite durante la produzione di beni (servizi).

TECNOLOGICA, PREPARAZIONE INDUSTRIALE – 518 617219 498 – principio organizzativo di distribuzione, compiti per la progettazione preliminare di processo tecnologici e avanzati, che riflettono le sequenze dei processi produttivi di beni pianificati.

TECNOLOGICHE, AREE SPECIALIZZATE – 319 684218 712 – creazione di società separate e indipendenti per svolgere certi passi o operazioni nei processi produttivi.

TECNOLOGICHE, FORNITURE (PREPARATORIE) – 564 947948 41 – forniture che dovrebbero essere create per casi in cui i valori del materiale entrante, non incontrano i requisiti del processo tecnologico, e prima di arrivare al processo produttivo, devono essere sottoposte a un processo appropriato (asciugatura, rimozione, corrosione ecc.).

TECNOLOGICO EQUIPAGGIAMENTO – 514 812498 714 – gruppi differenti di aggiustamenti caratterizzati da dozzine di nomi, cioè apparecchio usato per installare e assicurare i pezzi nella corretta posizione, relativa al lavoro delle macchine e apparecchiature da taglio.

TEMPO, ACCANTONAMENTO DI ATTREZZATURE – 489891318514 – include il fondo calendario, cioè, numeri di giorni del calendario in un anno, moltiplicato per 24 ore.

TEMPO, CARTELLINO DIPENDENTI – 548 617219 617 – cartellino registra tempo di ogni dipendente di un'impresa.

TEMPO DI STUDIO – 598498319718 – misurazione di tempo lavorativo di un dipendente per eseguire specifiche operazioni produttive, in modo da stabilire la complessità di queste operazioni nell'anno precedente.

TEMPO, FATTORE – 128491 649718 – fattore che fornisce il calcolo di efficienza del capitale investito, portando diversità del tempo di adempimento agli investimenti di capitale, ad un singolo punto di tempo.

TEMPO, FONDO ACCANTONAMENTO DI LAVORO DELLE ATTREZZATURE – 619714219611 – calendario di tempo lavorativo per unità, di accantonamento di attrezzatura, calcolato come prodotto del numero di giorni del calendario nell'anno, trimestre, mensile, decade, di 24 ore.

TENDER (OFFERTA) – 189 417218 489 – tipo di offerta per ordinare forniture di beni materiali, e l'esecuzione di lavoro contrattuale in modo da assicurare condizioni economiche solide per la loro implementazione.

TEORIA, DI SOLVIBILITÀ – 619 71481851 – teoria di tassazione che fornisce l'aumento dell'indice tassabile con la crescita dell'entrata del contribuente.

TERMINE DI PIENA RESTITUZIONE DEBITO – 498 217317 49 – indicatore secondario per l'efficacia del progetto di investimento.

TERMINI DI CONSEGNA DI BASE – 514031489604 – particolari condizioni di vendita-acquisto, che devono essere scritte sotto forma di accordo (contratto).

TEST DI QUALITÀ – 598 712894 716 – valutazione conforme di prodotti per determinare l'opportuna convenienza di consumo, con caratteristiche, documentate da specifiche standard o richieste consumistiche.

TEST MARKETING – 59871431841 – espediente economico di ragionamento per penetrazione in un nuovo segmento di mercato, basato sulla procedura media di vendita a breve termine del prodotto implementato.

TIPOLOGIE DI MERCHANDISE E SERVIZI – 619371819481 – piano d'affari (business plan) di divisione che presenta una lista completa di prodotti (servizi) che saranno offerti per la vendita nel mercato dei beni.

TIPOLOGIE DI RICERCA MARKETING – 317589619714 – ricerche divise per tipo di attività marketing: pubblicità, analisi della domanda di mercato, offerta, informazione prezzi, capacità pagamenti ecc.

TITOLI – 317518319417 – prova documentale che dà diritto di proprietà per acquisizione di reddito al suo proprietario. I titoli sono obbligazioni e quote di società e imprese, che sono anche obbligazioni pubbliche, cambiali ecc.

TITOLI DEI BENI – 719 617219 818 – competitività di beni, che è parzialmente o totalmente rispondente ai requisiti dei clienti, e ha una posizione definita nel mercato.

TRANSAZIONALI, MONOPOLI – 819 712498 714 – grandi organizzazioni industriali e finanziarie con una alta concentrazione di prodotti e capitale, sia all'interno della nazione che fuori,

TRASFERIMENTO, BANCARIO – 94821729878 – accordo concluso senza il coinvolgimento di denaro, e attraverso il trasferimento di somme da conti correnti o conti deposito della controparte pagante (compratore) al beneficiario (venditore).

TRASMISSIONE, APPARECCHIO – 891491 – elementi di beni fissi tramite cui, vari tipi di energia viene trasmessa, come anche sostanze liquide e gassose (tubi carburante, tubi gas ecc.).

TRASPORTI, LOGISTICI – 648 712895 718 – una delle funzione della logistica, che è responsabile per la consegna di valori materiali per il cliente.

TRASPORTO, INVENTARIO – 56471981961 – (Tp3) devono essere calcolati allo stesso modo delle scorte di riserva.

TRASPORTO, SPEDIZIONIERE – 648 751319 48 – persona legale che trasporta beni materiali sul proprio mezzo, tenendo in considerazione gli interessi del cliente, basandosi sulle tariffe correnti, affidabilità e tempestività nelle consegne dei kit ordinati.

TRUST – 949 612518 489 – associazione di alcune compagnie simili, i cui membri perdono tutte le loro dipendenze commerciali, industriali e legali.

TURNOVER (ROTAZIONE) DI BENI – 371 821498317 – insieme di risorse materiali e finanziarie, tutte necessarie al funzionamento appropriato del processo produttivo e di vendita.

TURNOVER DI BENI CORRENTI – 548 819319 617 – indicatore di capitale utilizzato, che rispecchia il tempo di un turnover in giorni.

TURNOVER DI MATERIE PRIME – 481 614217 498 – spostamento di beni in sfere di circolazione, la valutazione di beni comprati e venduti per un periodo.

TURNOVER, INDICE – 619 718419 71 – coefficiente usato nella diagnosi di condizioni finanziarie della società destinataria.

TURNOVER, INDICE DEL PERSONALE – 498491 48 – numero di persone andate in pensione durante l'anno, diviso per la media del numero dei dipendenti sul libro paga.

U

UNIFICAZIONE – 518 316497 48 – misure tecnico organizzative per ridurre l'ampia ed inutile varietà di prodotti e mezzi di produzione, inclusa la riduzione del formato, dando uniformità alla forma, misura e struttura.

UNITÀ DI CAPITALIZZAZIONE – 648518798417 – costo degli elementi di produzione base, (macchine, equipaggiamento, locali, edifici ecc.), conteggiati come spese di investimento.

UNITÀ, DI DOMANDA ELASTICA – 519 691917 819 – situazione di mercato in cui l'indice di crescita, equivale alla riduzione di prezzo, oppure indice di crescita di prezzo che equivale all'indice di declino nella domanda.

UNITÀ, MISURE ENERGETICHE – 319617319489 – unità statistica di misura per la stima per il numero di macchine e attrezzature, apparecchiature ed energia motrice, installata in macchine e attrezzature adatte al loro funzionamento (laboriosità, contenuto delle macchine e output).

USO VALORE – 518 491319 614 – capacità del prodotto (servizio) che incontra le specifiche necessità della popolazione.

UTILITÀ – 648 712319 614 – l'abilità di beni e servizi di incontrare le necessità di persone o enti legali.

V

VALORE AGGIUNTO – 648517219 648 – valore prodotto, meno il costo del materiale consumato nel corso della produzione del prodotto.

VALORE AGGIUNTO, TASSA (IVA) – 491316318914 – la tassa è l'indice di ritiro dal budget del valore aggiunto, in tutti gli stadi di produzione dei beni, lavori e servizi.

VALORE COME NUOVO – 49861271941 – questo tipo di valore si compone in due parti. Primo – il costo di produzione della forza lavoro, che riflette il tempo lavoro socialmente utile, cioè, il part-time del lavoratore, che è usato sulla riproduzione dell'equivalente costo di lavoro e stimato dal salario del lavoratore. Un'altra ampia fetta, è il tempo surplus, che è una fonte della creazione del surplus valore, che è interamente offerto al produttore di materie prime.

VALORE CONTABILE – 51489119489 – prezzo iniziale dei cespiti di produzione (capitale fisso), che include il prezzo di acquisto degli strumenti di lavoro (per edifici, locali-budget di costruzione) incluso il trasporto e il montaggio.

VALORE CONTABILE – 548 614891 498 – valore contabile delle immobilizzazioni materiali ed immateriali, con il quale sono accesi in contabilità.

VALORE MEDIO ANNUALE DI BENI DI PRODUZIONE – 594 712319 614 – somma valore media annuale di beni fissi e capitale circolante.

VALORE MEDIO ANNUALE DI BENI FISSI DI PRODUZIONE – 798 694219 917 – indicatore di cambio in valore, durante l'anno come risultato dell'introduzione di nuovi beni fissi. e smaltimento di quelli usurati e obsoleti.

VALORE PARADOSSO – 748549 – alto valore di consumo di beni a basso scambio, valore (prezzo).

VALUTAZIONE DEI CESPITI DI PRODUZIONE DI BASE – 614813519714 – metodi utilizzati per stimare l'ammontare recuperabile, cioè, del valore, che riflette il tempo necessario per la riproduzione dei beni sottoposti alle presenti condizioni.

VALUTAZIONE DELLA COMPETITIVITÀ – 489718 – valutazione della posizione finanziaria e delle capacità di coloro che hanno preso denaro in prestito, per pagare il prestito.

VALUTAZIONE, PRODUZIONE BENI DI BASE – 548317314811 – valutazione di beni fissi. Esistono vari tipi di stime e valori.

VALUTAZIONE, PROPRIETÀ – 619317219498 – il costo totale della formazione di beni fissi e capitale circolante, come anche i costi di mantenimento per beni fissi in condizioni lavorative.

VENDITA AL DETTAGLIO, PREZZO – 319 684219 81 – prezzo limite, sotto il quale il produttore non percepisce alcun guadagno.

VENDITA ALL'INGROSSO – 319 818719 6 – vendita di grande quantità di beni ad intermediari per successiva rivendita.

VENDITA ALL'INGROSSO, CLIENTE – 719 748 – rappresentante intermediario che compra i beni per conto dei rivenditori.

VENDITA ALL'INGROSSO, LOTTI – 319 628498 71 – partita di prodotti usati a condizioni di mercato per stimare l'indice di vendita di beni sul mercato, e stabilire lo scarto fra domanda e offerta.

VENDITA ALL'INGROSSO, PREZZO INDUSTRIALE – 491 318219 714 – prezzo del prodotto stabilito in aggiunta al prezzo di vendita all'ingrosso dall'impresa.

VENDITA, CANALE DI – 318481499417 – metodi di consegna merci, in termini prestabiliti da beni prodotti al consumatore.

VENDITA DEL PRODOTTO – 54121381948 – l'ammontare di una parte di prodotti finiti venduti, che sono pagati dal compratore.

VENDITE – 718 648519 71 – gamma di misure che assicurano la realizzazione del prodotto finito.

VENDITE ESCLUSIVE – 69849131971 – vendite da parte dei produttori di beni dei propri prodotti, in un dato mercato attraverso la singola rappresentanza del commercio all'ingrosso o al dettaglio.

VENDITE LOGISTICHE – 619 217218 47 – parte integrale di sistemi logistici complessivi, che svolgono la funzione di ricerca di mercato (marketing), che sono seguite da persone giuridiche e fisiche, e forniscono promozioni dei beni dal produttore al compratore, con il trasferimento di una proprietà legale per l'acquisto dei beni.

VOLUMI DI VENDITE – 497 814 – quantità di beni venduti.

METODI COMMERCIALI IN COSTANTE SVILUPPO

1. I commercianti che partecipano allo sviluppo eterno, possono ambire alla certezza della vita eterna. Esso provvede alla combinazione di eventi che contribuiscono al successo commerciale.

2. Per un programma commerciale, è necessario programmare lo sviluppo eterno in ogni area dell'obiettivo desiderato. L'aspetto di un tale piano commerciale può avere molteplici relazioni, ed è meglio per un suo sviluppo, organizzarli secondo i campi e le classi. Quando sorgono nuove aree commerciali, si possono usare sistemi standard di eterno sviluppo di management commerciale.

3. Per formare un commercio moderno, bisogna considerare le richieste della società e lo sviluppo della gestione commerciale, applicando correlati rivolti alle previsioni di un eterno sviluppo.

4. L'organizzazione di un piano commerciale di eterno sviluppo, deve essere pianificato in presenza di dati sugli avversari, soci e mercato. È consigliabile compiere un piano standard di riforma competitiva di relazioni in società.

5. Nelle implicazioni di sostanza e importanza di organizzazione commerciale di eterno sviluppo, si dovrebbe considerare la legge di continuità nel flusso di beni materiali e beni intangibili, per assicurarsi la vita eterna.

6. Nel commercio di eterno sviluppo, è importante che la presentazione dei piani commerciali sia collegata al background dell'organizzazione commerciale, che riflette chiaramente il contributo dell'organizzazione per assicurarsi la vita eterna.

7. Con lo sviluppo continuo, è appropriato rivedere il piano commerciale, in modo da assicurarsi lo sviluppo infinito con le leggi inerenti raccomandate per l'eterno sviluppo, oppure stabilire regole collegate al flusso lavorativo eterno.

8. È necessario incrementare il ruolo, l'esercizio e le opportunità del programma commerciale, in sistemi rivolti a risultati di sviluppo commerciale internazionale.

9. Si deve considerare il commercio come un sistema di relazioni, che sono necessarie per trovare aree che portino a termine la seguente realtà di eterno sviluppo.

10. È necessario inserire nelle funzioni organizzative commerciali, il principio di eterno sviluppo, che impianterà strutture collegate per sempre nei piani commerciali.

11. Le caratteristiche di piani strutturali commerciali esterni sono così formulati, che il principio di eterno sviluppo di eventi, deve essere preso in considerazione in ogni evento.

12. Si deve inserire il principio di eterno sviluppo in un commercio, che consiste nel fatto che da diversi documenti possono essere ottenuti analoghi livelli di controllo con il passare del tempo.

13. Nel proseguimento dell'eterno sviluppo, dovremmo impiantare la tecnologia commerciale secondo il principio della vita eterna per tutti, in tutte le aree commerciali.

14. Metodi di preveggenza di guadagni e perdite devo-

no essere collegati tra loro, o da informazioni dirette di eventi in base ai doni spirituali, o da informazioni sintetiche provenienti da diversi periodi temporali.

15. L'eterna connessione, sia di sistemi interni di tecnologie commerciali che di esterni, che includono eventi di preveggenza, devono essere inseriti nello sviluppo delle caratteristiche commerciali.

16. Nell'analisi dell'ambiente commerciale dell'organizzazione, si deve considerare il coefficiente di influenza reciproca del sistema commerciale, sulle previsioni di obiettivi di eterno sviluppo.

17. Nel piano di vendita si deve inserire lo sviluppo delle proprietà d'eternità emanate dai prodotti.

18. Nel piano di produzione si devono gettare le fondamenta per azioni di vita eterna, dei partecipanti al processo commerciale.

19. Attraverso il piano organizzativo si deve inserire il principio commerciale di eterno sviluppo, asserendo che più attraversamenti di eventi eterni creano sostanzialmente più conseguenze per assicurarsi la vita eterna.

20. Dovremmo mettere nel piano finanziario mezzi progettati apposta per provvedere la vita eterna.

21. Nella valutazione dei rischi useremo il principio di riduzione naturale dei rischi, nel compimento di eterno sviluppo.

22. Si devono usare metodi di organizzazione commerciale, che connettono l'amministrazione spirituale della realtà ad una specifica pratica.

23. Nel disegnare qualsiasi piano commerciale, si deve partire dal principio di eternità di una persona che ha la

conoscenza dell'eterno sviluppo.

24. Usate tutte le ultime possibili conquiste della tecnologia scientifica, dell'ingegneria e della spiritualità dell'eterno sviluppo, per la vostra promozione commerciale.

25. Nel piano commerciale di dati detraibili, trovate la logica di un processo commerciale di sviluppo per assicurare la vita eterna.

26. Inserite il principio di universalità delle leggi dell'eterno sviluppo commerciale.

27. Nel procacciare informazioni commerciali, scoprite l'opportunità di usarle per lo sviluppo di altre aree di attività imprenditoriale.

28. Nei dati merceologici, inserite direttamente o indirettamente una informazione che permetta l'uso del prodotto o la sua combinazione, con altri prodotti nell'assicurazione di eterno sviluppo.

29. Nel condurre ricerche economiche per uno sviluppo commerciale, inserite la possibilità di sviluppo sopra ogni area a cui attribuite maggior importanza per uno sviluppo eterno.

30. Aderite al principio di attività strutturale, di aree di mercato in cui l'azione tecnologica intensifichi l'eterno sviluppo, promuovendo l'inserimento di tecnologie di eterno sviluppo nelle aree vuote del mercato.

31. Cercate di riassumere le informazioni ricevute dai diversi sistemi di economia commerciale, per oggettivare la conquista dell'eterno sviluppo commerciale attraverso tecnologie commerciali.

32. Sviluppate le vostre proprie attività creative e le abilità di altri permettendo così l'assicurazione della vita eterna.

33. Combinate diversi mercati perfezionandoli attraverso l'idea dell'eterno sviluppo.

34. Asserite la situazione commerciale, non solo economicamente, ma anche in vista di risultati di sviluppo spirituale, provvedendo così alla vita eterna di tutti. Sviluppate simultaneamente intensi corsi educativi e tecnologici nell'ambito lavorativo, in modo da ottenere un'educazione generale e spirituale che assicurerà la vita eterna per gli studenti e tutte le altre persone.

35. usate l'esperienza di inserimento di eterno sviluppo di altre strutture commerciali, trasferendola alla vostra azienda.

36. Create nel mercato un'impresa sostenibile di eterno sviluppo, attraverso l'integrazione di tutta l'informazione commerciale circa il mercato, incluse le informazioni avute da tecnologie preveggenti.

37. Regolate in anticipo le situazioni prevedibili, restando focalizzati sull'obiettivo che assicura l'eterno sviluppo.

38. Usate progetti completati, donando perpetuo sviluppo al sistema d'architrave.

39. Usate metodi conosciuti per le vendite e sviluppatene di nuovi, donando così sviluppo perpetuo.

40. Ad ogni livello di attività commerciale, inserite sempre la sicurezza di vita eterna per voi e per tutti gli altri.

41. Provvedete ad incrementare tecnologie di eterno sviluppo insieme all'incremento del tempo di funzionamento della vostra azienda.

42. Fate in modo che la vendita dei vostri prodotti aiutino l'inserimento dei prodotti successivi nello sviluppo perpetuo.

43. L'informazione nel commercio è sempre legittima, affinché fornisca un perpetuo sviluppo senza limitazioni, per assicurare l'eterno vitale funzionamento di ogni persona, in questo modo si combinano tutti i principi etici e morali.

44. inserite sistematicamente l'eterno sviluppo attraverso tecnologie commerciali, per terminare nei tempi accordati nel contratto.

45. Dettagliate lo schema commerciale, in modo da permettere a tutti gli elementi di essere presi in considerazione, per ottenere una più efficace sicurezza di vita eterna.

46. Stabilite delle date per provare che la vostra azienda contribuisce al processo di sicurezza alla vita eterna per ogni persona, e su queste basi coinvolgete una terza persona per ufficializzare l'evento.

47. In accordo con la legge universale di eterno sviluppo, incrementate costantemente il volume di vendita di beni e di prodotti intellettuali.

48. Fate in modo di aumentare il potenziale commerciale di vendita di prodotti di prima necessità, che provvedono alla vita eterna.

49. Fate largo uso di dinamici sistemi di auto-realizzazione, per incrementare un commercio di eterno sviluppo.

50. Sviluppate ogni parte dell'azienda, in modo da poter applicare efficacemente il principio di reciproco scambio, sia al suo interno, che con i sistemi esterni in costante sviluppo.

51. Ponete sempre la priorità sulla garanzia della vita eterna per i partecipanti alla vostra azienda e simultaneamente per tutti gli altri in qualsiasi progetto.

52. Agite in accordo con la legge di accesso accordato alle tecnologie di vita eterna per tutti.

53. Usate regolarmente metodi di amministrazione spirituale preveggente, insieme alle misure economiche per ottenere ottimi dati per la certezza dell'eterno sviluppo.

54. Usate una combinazione di campi e oggetti di procedure commerciali diverse, per aumentare le risorse e assicurare un perpetuo sviluppo.

55. tenete da parte la somma necessaria indispensabile per assicurarvi uno sviluppo eterno.

METODI DI AMMINISTRAZIONE COMMERCIALE

Nello sviluppo di tecnologie eterne, spesso dobbiamo lavorare e agire in aree fino a quel momento sconosciute. Quindi, per lo sviluppo eterno delle tecnologie, una piccola azienda è il mezzo per fare pratica per poi passare ad una azienda più grande – **419 819 719 81** – E poiché l'uomo è in costante evoluzione e può imparare qualsiasi struttura, la piccola azienda può essere per lui il modo di raggiungere il suo obbiettivo. Per esempio, quando si parla di aziende nelle nazioni del terzo mondo dove l'uomo non è mai stato prima, ed egli vuole impiantare un commercio di divulgazione di tecnologie di eterno sviluppo – **719 419 811** –.

La struttura di una piccola azienda può avere grandi vantaggi paragonati ad altre attività in termini di indipendenza, è spesso il fattore più importante nelle tecnologie di eterno sviluppo – **819 419 714** – Si dovrebbe cercare di aiutare immediatamente le persone a studiare tecnologie di eterno sviluppo – **819 419 714** – Si dovrebbe cercare di aiutare immediatamente le persone a studiare tecnologie di eterno sviluppo per le loro aziende – **914 819 87** – È anche necessario creare un fondo indipendente per le tecnologie di eterno sviluppo – **518 491 617**.

Quando si crea la propria azienda è di buon senso sviluppare l'auto-organizzazione. Per diventare una persona super organizzata, usare il numero – **419875** – in modo da essere coinvolti in tecnologie di eterno sviluppo. In questo caso i numeri dovrebbero rimanere nella vostra percezione, come se fossero ad una certa distanza da voi mentre generate l'evento, cioè, sotto una linea dove tutti gli eventi in cui siete occupati avvengono, come il giorno in corso e il futuro, vicino o strategico. In questo modo la correlata sequenza numerica vi permette di organizzarvi e di essere una persona organizzata senza dover agire.

Il piano di azione per l'auto-organizzazione che sviluppa la capacità di un controllo profetico, può essere ottenuto con la sequenza **– 419 818719 849 –** Tenete a mente il concetto base dell'eterno potere di sviluppo tecnologico, e la persona può ottenere qualsiasi capacità. In modo naturale noi siamo in grado di fare tutto ciò che è necessario per il nostro eterno sviluppo, incluso il dominio di qualsiasi attività. Un numero perché voi possiate acquisire la conoscenza e l'abilità necessari è **– 514918919**.

Nelle tecnologie dell'eterno sviluppo è importante anche il fattore evento – non solo il tempo definisce il tempo – in questo caso è necessario usare la sequenza **– 914 41981 –** Questi numeri permettono di combinare tempi ed eventi. E nel futuro, quando misurerete per esempio, alcune vostre posizioni con gli eventi piuttosto che con il tempo, eventi magari scaturiti da commerci in larga scala, dopo piccoli commerci, allora potrete immediatamente ottimizzare il vostro lavoro. Questo indicherà ciò su cui vi dovete soffermare in un primo tempo, qualcosa che all'inizio può non attirare la vostra attenzione. Per questo c'è una sequenza numerica che ottimizza le scelte **– 419 814 –**.

Tutti gli uomini sono creati da Dio in modo uguale, e voi con le vostre azioni avete opportunità altrettanto uguali. In questo caso, a questo punto, potete assumere di conoscere la materia in modo più approfondito. Ma, tuttavia, dobbiamo ricordare che altri possono impararla nella struttura dell'eterno sviluppo. Questo vuol dire che più e meglio, dominerete la conoscenza dell'eterno, più uguali opportunità avranno gli altri. Perciò la conoscenza dell'eterno sviluppo, ha un altissimo valore sociale, e nel dominarla, voi contribuirete alla vita eterna di tutta la gente.

La valutazione della conoscenza mirata all'eterno sviluppo in termini di crescita di conoscenza di qualsiasi area, è definita dalla seguente sequenza numerica **– 418 718419 412 –**.

L'autostima e la valutazione di altri nelle tecnologie dell'eterno sviluppo, portano a risultati in termini di azioni comuni. Per diventare una persona di cui gli altri hanno una grande stima, perché in grado di dominare la conoscenza della vita eterna, usate i numeri **– 419 818719 914481 –**. Questo aiuta a livello psicologico, a prendere il controllo del gruppo, membri del personale o comunità, e a realizzare che è possibile raggiungere il livello di conoscenza della vita eterna.

Nell'eterno sviluppo tecnologico si deve essere sempre perfettamente equilibrati per poter trovare soluzioni utili alla famiglia nel suo insieme, quindi c'è una sequenza numerica che soprattutto, crea condizioni di armonia in tutti i membri, inclusa la reazione di amici **– 814 418 719 –**.

METODI DI AMMINISTRAZIONE

Nell'eterno sviluppo tecnologico, il compito è spesso determinato dalla necessità di ottenere l'imperativo risultato dell'azione, per sistemare la situazione in ogni caso. Le classi e qualsiasi lobby hanno le loro strutture interne, costantemente focalizzate sull'eterno sviluppo e l'acquisizione di nuova futura conoscenza. Si deve focalizzare in modo giusto la conoscenza così che, sia gli interessi che le attività di una particolare azione, siano connessi armoniosamente nel comune obiettivo di eterno sviluppo: **– 718 419 471 48 –**

La vostra attività vi permetterà di aiutare le persone ad ottenere la vita eterna, e, soprattutto, di inserire particolari tecnologie, molto spesso sconosciute, nei primi stadi di sviluppo sociale, verso una tecnologia eterna assolutamente necessaria alla gente e alla sua comprensione. La sola domanda è: risulterà conveniente nelle connessioni economiche generali? A questo punto dovrete considerarlo, non solo il vostro focus, ma il vostro obiettivo di realtà economica da inserire nella regione e intera società. **– 419 718 814 –**

Quando dichiarate che la vostra compagnia sta lavorando per l'inserimento della tecnologia dell'eterno sviluppo, considerate: che i seguenti potenziali benefici di un'impresa occupata nello sviluppo perpetuo, sono assolutamente ovvii, poiché includono molti più fattori del comune commercio, e posano le fondamenta per maggiori potenziali e maggiore credibilità e approvazione.

Questa è una necessità per poter distribuire super-profitti e semplici vantaggi a livello di futuro sviluppo di tecnologia

www.ingramcontent.com/pod-product-compliance
Lightning Source LLC
Chambersburg PA
CBHW050456080326
40788CB00001B/3883

* 9 7 8 8 8 8 9 5 1 7 1 3 0 *